Henriette Dessaulles est née
notables politiques, à Saint-
Montréal. En 1881, elle y épo
une si grande place dans so
pagne électorale où il est ca
d'une pneumonie ; Henriet
naissance à sept enfants.
chroniques de graphologie, sous divers pseudonymes, dans *Le
Journal de Françoise*, *La Patrie*, *Le Canada*, *Le Nationaliste*,
Le Devoir, puis des chroniques féminines dans *Le Journal de
Françoise* et dans *Le Canada*. En 1911, dans *Le Devoir*, fondé par
son cousin Henri Bourassa, elle inaugure une chronique hebdo-
madaire sous le titre «Lettre de Fadette», qu'elle tiendra jusqu'à
l'âge de 86 ans, y publiant plus de 1 700 textes. C'est sous le nom de
Fadette qu'elle deviendra la journaliste la plus célèbre de son
temps; mais son journal, révélation inattendue d'une tout autre
personnalité, ne sera connu du public que vingt-cinq ans après sa
mort.

Le premier cahier du *Journal* d'Henriette Dessaulles va de septembre 1874 à septembre 1876. Au début de ce cahier, Henriette a
quatorze ans, c'est la rentrée au couvent de Lorette à Saint-
Hyacinthe ; à la fin, elle se prépare à devenir pensionnaire au couvent de la Présentation. Dans l'intervalle, elle note ses joies, ses
chagrins, ses espoirs et ses désillusions, alors qu'elle affronte les
contrariétés de sa belle-mère, scrute ses sentiments à l'égard de son
jeune voisin, Maurice Saint-Jacques, et, pendant un séjour à Old
Orchard (aux États-Unis) au cours de l'été 1876, fait la connaissance
d'un musicien atteint d'une maladie mortelle. C'est à l'aune de
l'expérience quotidienne qu'Henriette Dessaulles interroge les
grandes vérités. Considérant avec une étonnante acuité critique le
comportement de ses contemporains, elle porte sur son temps, sur
elle-même et sur son milieu un regard neuf, décapant. Un texte
d'une exceptionnelle qualité, tout en mouvements du cœur et de
l'esprit, une écriture à la mesure d'une personnalité exceptionnelle.

JOURNAL
PREMIER CAHIER
1874-1876

HENRIETTE DESSAULLES

Journal
Premier cahier
1874-1876

Texte établi, annoté et présenté par
Jean-Louis Major

BIBLIOTHÈQUE QUÉBÉCOISE

BIBLIOTHÈQUE QUÉBÉCOISE est une société d'édition administrée conjointement par les Éditions Fides, les Éditions Hurtubise HMH et Leméac Éditeur.
« Bibliothèque québécoise » remercie le ministère du Patrimoine canadien du soutien qui lui est accordé dans le cadre du Programme d'aide au développement de l'industrie de l'édition. BQ remercie également le Conseil des arts du Canada et la Société de développement des entreprises culturelles du Québec (SODEC).

Conception graphique : Gianni Caccia
Typographie et montage : Marie-Andrée Donovan

Données de catalogage avant publication (CANADA)
Dessaulles, Henriette (*1860-1946*)
    Major, Jean-Louis, *1937-*
Fadette, *1860-1946*
    Journal
    Publ. antérieurement sous le titre : *Journal d'Henriette Dessaulles, 1874-1880*. [Montréal] : Hurtubise HMH, [1971].
    Sommaire : Premier cahier. 1874-1876.

ISBN 2-89406-145-5 (v. 1)
    1. Fadette, 1860-1946 - Journal intime. 2. Écrivains canadiens-français - Québec (Province) - Journaux intimes. 3. Écrivains canadiens-français - 20e siècle - Journaux intimes. 4. Québec (Province) - Mœurs et coutumes. I. Titre. II. Titre : Journal d'Henriette Dessaulles, 1874-1880.

PS8511.A33Z5 1999   C848'.5203   C99-940338-9
PS9511.A33Z5 1999
PQ3919.F32Z4 1999

Dépôt légal : 2e trimestre 1999
Bibliothèque nationale du Québec
© Bibliothèque québécoise, 1999, pour cette édition

PRÉSENTATION

Henriette Dessaulles a quatorze ans lorsqu'elle note sa rentrée au couvent de Lorette à Saint-Hyacinthe, en septembre 1874 : ce sont les premières pages du *Journal*, mais d'autres les ont précédées, qui ne nous sont pas parvenues. Elle a vingt et un ans lorsqu'elle y inscrit les dernières phrases, quelque temps avant son mariage en juillet 1881.

Elle fréquente le couvent jusqu'en 1877, y devenant pensionnaire la dernière année. Ses études terminées, elle mène la vie des jeunes filles de bonne famille qui se préparent au mariage : visites, offices religieux, musique, soins ménagers, bonnes lectures, bonnes œuvres. Mais Henriette Dessaulles n'est pas une jeune fille ordinaire : témoin son journal, longtemps tenu dans le plus grand secret, divulgué par amour comme un don total de soi, transcrit et peut-être en partie récrit plusieurs années plus tard dans le deuil et la maladie, puis transmis d'une génération à l'autre par sa descendance féminine.

Héritier d'un nom prestigieux, grand propriétaire terrien, homme d'affaires, organisateur politique, maire de la ville, le père d'Henriette est le notable le plus important de Saint-Hyacinthe, une petite ville industrielle non loin de Montréal, qui est aussi un milieu étonnamment ouvert aux courants intellectuels de l'époque, en particulier ceux de la pensée libérale. La ville et ses environs occupent l'emplacement de la seigneurie originelle de la famille Dessaulles, qui a été divisée entre les trois enfants de Jean Dessaulles et de Rosalie Papineau : Louis-Antoine, l'aîné, Rosalie et Georges-Casimir.

Émilie Mondelet, la mère d'Henriette, est décédée en 1864. En 1869, Georges-Casimir Dessaulles a épousé en secondes noces Fanny Leman, fille de sa cousine Agathe Papineau Leman à qui il avait demandé de venir s'occuper des enfants en bas âge que la mort de sa femme avait laissés à sa charge. Pour Henriette, le souvenir de sa mère est d'autant plus lancinant que ses rapports avec sa belle-mère, de seize ans son aînée, sont souvent difficiles.

La famille Dessaulles habite une grande maison victorienne, près de la cathédrale. Aux enfants du premier lit — Arthur (1858), Henriette (1860) et Alice (1862) — sont venus s'ajouter Rosalie (1869), Emma (1871) et Fanny (1873) ; Casimir naît en 1875 et Henri en 1879. La tante Leman y demeure, à la fois gouvernante et belle-mère. Des domestiques — cocher, cuisinière, couturière, femmes de chambre — y habitent ou y travaillent. Oncles et tantes Dessaulles, Bourassa ou Papineau, cousines et cousins de l'une ou l'autre branche de la famille Papineau y font des séjours prolongés ou viennent y passer quelques jours. D'ailleurs, le parrain d'Henriette n'est nul autre que Louis-Joseph Papineau, le tribun et chef des Patriotes, exilé aux États-Unis pour son rôle lors de la Rébellion de 1837-1838.

C'est cependant de préférence vers la maison voisine, celle de la famille Saint-Jacques, située à l'angle des rues Saint-Hyacinthe et Girouard, qu'Henriette se porte le plus souvent, du moins en pensée : son amie Joséphine (« Jos ») et, surtout, Maurice y habitent. Tôt contrarié, soumis aux convenances de l'époque, souffrant des absences prolongées de l'étudiant en droit à l'Université Laval, en butte aux interdits familiaux, l'amour d'Henriette pour Maurice constitue l'un des fils conducteurs du journal, lui donnant l'allure d'un récit marqué d'incertitudes, de péripéties, de revirements, d'alternances de bonheur et de chagrins. Si la présence du jeune voisin est dramatisée dès les premières pages, la rencontre de Henry Robinson, un musicien atteint d'une maladie mortelle, lors d'un séjour sur la côte est des États-Unis, à l'été 1876, y fait figure d'intermède romantique.

Sa chambre, dont l'une des fenêtres donne du côté de la maison des Saint-Jacques, demeure pour Henriette le lieu de prédilection pour s'adonner à l'écriture. Mais son journal l'accompagne ailleurs, à la cuisine ou au jardin, en villégiature ou en visite chez ses cousines. Elle doit cependant déployer beaucoup d'ingéniosité pour le soustraire aux regards indiscrets ou pour esquiver les questions à son sujet. Sur le point de remplir la dernière page de son cahier, alors qu'elle s'apprête à devenir pensionnaire au couvent, Henriette redoute d'y apporter son journal avec elle, par crainte des indiscrétions. Ses cahiers ne devaient avoir d'autre lecteur qu'elle-même : tout au plus se proposait-elle de les relire plus tard, avant de les détruire. C'est la clause du secret, qui définit le journal intime.

Le journal d'Henriette Dessaulles obéit aux règles du genre, dont la première est la soumission au calendrier, quelle qu'en soit la périodicité. C'est cette règle qui commande la datation ponctuelle de l'écriture[1], lui imposant ainsi une forme et une perspective indéfiniment fragmentaires. Si elle y écrit à divers moments de la journée, il lui arrive de le délaisser pendant de longues périodes, soit parce qu'elle estime n'avoir rien à dire, soit parce qu'elle est trop occupée. Mais Henriette y revient, comme au plus vrai d'elle-même, se reprochant tantôt de le négliger, tantôt d'y consacrer trop de temps.

Dans l'état où il nous est parvenu, le journal d'Henriette Dessaulles comprend quatre cahiers. Le premier, dont on donne ici le texte, tel qu'établi dans l'édition critique (« Bibliothèque du Nouveau Monde »), va de septembre 1874 à septembre 1876 : au début, c'est la rentrée au couvent de Lorette ; à la fin du cahier, Henriette se prépare à devenir pensionnaire au couvent de la Présentation. Dans l'intervalle, elle note les événements, les faits et les gestes qui suscitent ses joies et ses chagrins, elle affronte les contrariétés de sa belle-mère et elle

---

1. Sur la chronologie et la datation du *Journal* d'Henriette Dessaulles, voir l'Introduction et l'annotation de l'édition critique par Jean-Louis Major (Les Presses de l'Université de Montréal, 1989, « Bibliothèque du Nouveau Monde »).

s'interroge sur son amour naissant pour Maurice Saint-Jacques. Mais dès ce premier cahier du journal se découvre aussi l'éveil d'un remarquable sens critique. C'est à l'aune de l'expérience quotidienne qu'Henriette Dessaulles mesure les vérités reçues : le regard qu'elle porte sur ses contemporains et sur les pratiques de son temps et de son milieu manifeste une étonnante acuité.

Ce qui donne à ce journal son unité fondamentale et son caractère unique, c'est d'abord la vérité de son écriture, marquée de part en part par la personnalité d'Henriette Dessaulles. Tour à tour enjouée et sérieuse, inquiète, révoltée et pieuse, songeuse, rieuse et nostalgique, elle trouve en son journal un témoin et un ami, un refuge, le lieu d'une découverte et d'une affirmation de soi. Si les événements et les personnes qu'elle évoque appartiennent à un monde et à une époque révolus, son journal les éclaire de l'intérieur. Les joies, les espoirs, les chagrins et les rêves de cette jeune fille, exceptionnelle à tant d'égards et pourtant si proche, rendent un passé lointain à jamais actuel.

1874

Je viens de [...] des vacances — [...][1] souvent fou ce que j'écris, il me semble que je ne le pense pas si fou que cela. Mes pensées d'aujourd'hui, habillées avec *mes* mots, me rappellent mes parures de poupées d'autrefois. Je rêvais d'en faire des fées et des reines, et il ne sortait de mes petits doigts malhabiles que des caricatures qui me les faisaient prendre en horreur. Alors je les enterrais «sous les pins» pour ne plus les voir et pour les oublier. Ce qu'il y en a, là, de corps de poupées dans des cercueils de «boîtes à savon»!

C'était la rentrée[2] ce matin. C'est entendu que c'est une triste chose — dans tout, d'ailleurs, il y a du triste, même dans le plaisir, puisqu'il finit. J'ai eu du plaisir à revoir les «anciennes», à voir des

---

1. Le premier feuillet du cahier est vierge : l'écriture commence au deuxième feuillet, dont le coin supérieur droit manque, apparemment rogné par le feu.

2. Au couvent Notre-Dame-de-Lorette des sœurs de la Présentation de Marie, à Saint-Hyacinthe, appelé couvent de Lorette.

« nouvelles », à les examiner, à changer de classe, de maîtresse, à acheter beaucoup de cahiers ! C'est [...] beaux cahiers ! [...] n'est-il pas superbe ? Il y a long-temps que je me prive de bonbons pour amasser, sou à sou, la fortune qu'il coûte. Et je te dirai tous mes petits secrets, cher muet, qui reçois mes confi-dences sans me donner de bons conseils ! Oh ! les bons conseils ! Je m'en sauve tant que je peux !... C'est si inutile ! Les gens vous disent un tas de choses qu'ils ne font pas, j'en ai vu me conseiller une humeur moins capricieuse entre deux... rages !

Oui, c'est comme ça ! et des bons conseils, moi, ça m'impressionne sur le mauvais sens, et je pense tou-jours que ceux qui me les donnent devraient d'abord les suivre !

On ne m'a pas fait très belle mine dans cette dis-tinguée seconde[3] ! On s'est même permis de me trouver trop jeune pour y entrer. Ce que je me fiche de vous, mes demoiselles, et ce que je rirai quand je me serai montrée au moins votre égale.

Demain, concours. Attention aux becs pincés !

Les premiers jours après la rentrée, il y a un peu de vie et d'animation, mais plus tard quand ce sera « toujours la même chose » ! Que je voudrais avoir une petite fée à mon service !

D'abord je me ferais changer en garçon — c'est un peu bête à quatorze ans, les garçons, mais ils

---

3. Henriette Dessaulles entre dans la cinquième année d'un cycle d'études qui en comprend six ; les années, appelées « cours », sont désignées de six à un. Les élèves sont inscrites dans un cours français et dans un cours anglais, qui ne correspondent pas nécessairement. Henriette Dessaulles, âgée de 14 ans, est dans le deuxième cours français et le deuxième cours anglais.

deviennent très gentils plus tard, et puis ils apprennent tout ce qu'ils veulent! Je me choisirais un ami qui s'appellerait Maurice et je l'aimerais tant — il serait beaucoup plus vieux que moi, mais ma fée s'arrangerait pour qu'il m'aime aussi *quand même*!

Ce serait mieux que d'être une petite fille toujours seule, souvent triste... Bon, j'ai failli me lamenter, c'est un peu ma manie. Ça ne changera rien pourtant — ça ne fera pas que maman[4] paraisse m'aimer... Je veux bien croire qu'elle m'aime, mais moi j'aime à voir cette bonne chose-là!

10 septembre

Il a fait trop chaud — la classe a été fatigante — Sœur du Précieux-Sang promet cependant d'être... rafraîchissante. Vais-je l'aimer?... vrai, c'est pas mon type! Elle est moqueuse, fine, froide, curieuse, un œil scrutateur qui semble toujours vous chercher. Non, ma révérende, moi j'aime les gens chauds, simples, sincères et qui se mêlent de leurs affaires! J'ai peur que *ça n'arrive pas toujours*!

Je n'ai pas vu Jos[5] depuis la rentrée — elle est heureuse chez elle, où on la gâte, et elle m'envie

---

4. Frances Louise (Fanny) Leman, née à Buckingham (Québec) le 15 août 1844, troisième enfant d'Agathe Papineau et de Denis Sheppard Leman; épouse en secondes noces (14 janvier 1869) de Georges-Casimir Dessaulles, dont la première femme, Émilie Mondelet, est décédée le 29 août 1864.

5. Joséphine («Jos») Saint-Jacques, née le 21 décembre 1858, deuxième enfant de Romuald Saint-Jacques et de Joséphine Buckley. De septembre 1866 à juillet 1874, elle a été tantôt pensionnaire, tantôt demi-pensionnaire au couvent de Lorette. En 1874-1875, elle n'y est pas inscrite; elle y redeviendra pensionnaire en septembre 1875.

parce que je suis au couvent! Si elle savait pourtant qu'elle n'a rien à m'envier et que j'ai souvent beaucoup de peine... de la peine qui me met de l'amertume dans le cœur et que je ne dis jamais.

Dans la soirée

La jolie interruption! Jos est venue m'inviter pour une promenade en voiture. La haute autorité était absente, et la chère bonne tante[6] a permis! Maurice[7] conduisait et nous avons eu tous les trois un plaisir qui ressemblait à celui des vacances. J'ai rapporté de la joie pour une semaine! Si je pouvais aller aux provisions plus souvent!

11 septembre

Concours de style — 1ère!
Orthographe — 2ième!
Histoire — 1ère
Géographie — 2ième

6. Agathe Papineau, née le 15 janvier 1818, troisième enfant de Denis-Benjamin Papineau et de Louise Cornud. Le 5 octobre 1837, à Plantagenet (Ontario), elle avait épousé Denis Sheppard Leman, médecin, né en Angleterre, décédé le 31 décembre 1845. Après la mort de sa femme en 1864, Georges-Casimir Dessaulles fit appel à elle pour s'occuper de ses enfants; il épousa sa fille Fanny en 1869. Elle demeura chez Georges-Casimir Dessaulles jusqu'à sa mort, le 30 septembre 1882.

7. Maurice Saint-Jacques, né à Saint-Denis-sur-Richelieu le 23 novembre 1856, fils aîné de Romuald Saint-Jacques et de Joséphine Buckley. Il est alors pensionnaire au Séminaire de Saint-Hyacinthe.

et ainsi de suite excepté l'arithmétique — j'étais cinquième. J'ai ri de voir les mines allongées, mais je n'ai pas été vilaine, au contraire, j'ai été gentille pour me faire pardonner leur petite humiliation d'autant plus difficile à avaler qu'elles m'avaient traitée comme une enfant trop jeune pour leur classe.

Ce petit triomphe me laisse triste — j'aimerais mieux avoir un coin, être une des dernières et qu'on m'aime !

Il fait encore chaud, je viens d'écrire mes devoirs, ma fenêtre est ouverte, les petites bêtes volent autour de ma lampe, je m'ennuie tant que je voudrais être une de ces petites horreurs !

Au moins je volerais loin d'ici !

Et ma joie qui devait durer une semaine ? Comme j'en écris des phrases... Je le croyais peut-être quand je l'ai écrit ? Je voudrais tant ne jamais rien dire que la vérité !

12 septembre

Jos est allée passer quelques jours à Montréal, et maman me permit d'aller à la gare pour lui dire bonjour. Je revins avec Maurice. Chaque fois que nous nous voyons, nous continuons la conversation précédente — il a *continué* à me prier pour avoir mon portrait. J'ai dit non, il a insisté — il a dit «je veux» et j'ai dit non. S'il croit que je ferai ce qu'il veut ! S'il avait continué à me prier _ _ *ben*, j'étais en danger de céder. Au fond, pourtant, j'aurais aimé lui faire plaisir, mais donner mon portrait, moi ! Non, je me garde, merci !

On me reproche mon écriture qu'on trouve laide — si je voulais m'appliquer un peu, je réussirais peut-être à la rendre au moins passable. Je n'ai rien promis — c'est un détail, l'écriture, et il y a tant de choses nécessaires qu'il *faut* promettre et tenir! et tant d'autres promesses qu'on ne tient pas... et on a honte de soi — — aussi je fais le moins de promesses possibles.

Je ne voyais pas Jos plus souvent quand elle était ici, mais je la savais tout près et je m'ennuie d'elle depuis son départ. Elle ne le saura jamais car je crois qu'elle ne m'aime pas comme je l'aime. Elle a autant de plaisir avec Augustine et avec Blanche[8] qu'avec moi — moi, non, c'est elle qui serait mon amie si elle le voulait. Elle ne se doute pas, sans doute, du *trésor* qu'elle aurait en étendant le bras!

Pauvre petite sauvage va, qui veut tant qu'on l'aime et qui réussit si mal, tu peux bien rire de toi!

Il m'arrive de rire jaune comme ce soir.

Jeudi 17 septembre

La vilaine journée de congé[9], j'ai eu de la peine et j'ai été méchante dans mon cœur, et je le suis encore! Maman a *peut-être* raison dans le fond, mais elle a des sévérités outrées et une manière de faire des reproches qui soulève toutes mes révoltes.

8. Peut-être Augustine Bourassa, qui fréquentait alors le couvent de Lorette, et Blanche Sicotte.

9. Le jeudi après-midi, il n'y a pas de classes: les élèves externes ne sont pas tenues de se rendre au couvent.

Je ne dis jamais rien, elles seraient trop laides à dire, les choses que j'ai dans le cœur, quand je suis fâchée, et puis je suis trop orgueilleuse pour montrer comme je suis affectée par ces duretés. Je voudrais vivre toute seule dans ma chambre, en paix avec Dieu, les autres et moi-même! C'est encore avec moi-même que ce serait plus difficile!

Que Jos est heureuse d'avoir sa vraie mère à qui elle peut demander pardon quand elle a l'âme lourde et triste... et jamais jamais je n'aurai ce bonheur et à cause de cela, si je devenais bien bien méchante?

18 septembre

À cinq heures, en sortant de classe, j'allai porter à Jos un billet d'invitation des sœurs... Maurice vint m'ouvrir et il fut si gentil, si bon, si content de me voir, que je me sentis, comment dire, me dilater — j'étais si mal avant, comme *rétrécie* dans mes remords et ma malice. Pendant que Jos cherchait sa mère pour avoir la permission d'accepter l'invitation, j'étais seule avec lui.

— Tu n'es pas malade, bien sûr, tu n'as plus ton petit air joyeux des vacances? Est-on devenue si sérieuse que cela?

— C'est vrai, fis-je avec un gros soupir, je ne suis pas gaie!

— Pourquoi, peux-tu me le dire?

— Oh non!

— Mais je ne suis plus ton grand ami?

— Mes chagrins, je ne les dis à personne! — et j'étais déjà émue d'y faire allusion.

— Des chagrins? de vrais chagrins que tu as?

— Oui! des vrais! il n'y en a pas d'autres _ _ _ _

— Dis-moi qui t'a fait de la peine? Jos?

— Non.

— Alice[10]?

— Non.

— Au couvent, les sœurs?

— Non, non, non! Je ne veux pas le dire et je ne veux pas que tu me tourmentes!

Alors il parla d'autre chose, m'offrit les mémoires de madame de La Rochejaquelein, courut les chercher, me fit rire en me taquinant, et je revins plus gaie et meilleure. Au départ il me dit : « Il ne faut plus avoir de gros chagrins que tu ne peux pas me dire, tu oublies trop facilement que je suis ton ami. Il faudra renouveler cet ancien pacte d'amitié! Nous allons faire une clause nouvelle… »

Jos est bien heureuse, bien heureuse de

24 septembre

Oh! l'ennui de tous ces derniers jours, ce serait un péché de chercher à en conserver le souvenir! Sœur du Précieux-Sang que j'aime si peu a été souffrante, à l'infirmerie, c'est une petite dinde de postulante qui l'a remplacée, et elle a obtenu ce miracle, que j'ai passé ce temps à regretter notre maîtresse!

Alors, j'ai peu étudié, j'ai fait mes devoirs pour m'en débarrasser, j'ai questionné la dinde assez pour

10.   Sœur cadette d'Henriette Dessaulles, née le 9 février 1862.

la rendre malade de peur... car elle ne savait pas toujours se tirer de mes questions ou de mes arguments à son honneur!

Et tout cela c'était petit et laid, et je méprise chez les autres les petitesses et les laideurs! Et moi? pharisienne va! Et tu prendras encore *des airs*, tu te grimperas sur tes échasses pour juger les autres!

Hier c'était la Saint-Maurice, j'ai donné à Jos pour Maurice une petite caricature d'un avocat plaideur, avec mes souhaits pour des succès futurs. Et aujourd'hui il m'arrive une extraordinaire chose: une lettre de Maurice – – une lettre... ravissante et autrement plus gentille que ma gaminerie d'hier. Il m'ordonnait de la déchirer après l'avoir lue, c'était triste mais je l'ai fait et je regrette cette obéissance si prompte. J'étais toute tremblante... de surprise je pense, et je ne me souviens du *tout* que d'une manière vague très douce.

Oui c'est *lui* mon ami, ce n'est pas Jos ni personne autre!

28 septembre

Comme tout est joli à la classe, à la maison, dehors, partout, ces jours-ci! Suis-je donc une petite girouette, et vais-je toujours «*virer* à tous vents»?

Demain la fête de ce bon papa[11], nous lui préparons toutes ses «surprises» en grand mystère. Comme c'est bon d'être heureux et content de soi.

11. Georges-Casimir Dessaulles (1827-1930), fils cadet de Jean Dessaulles et de Rosalie Papineau.

Être heureux c'est être bon — c'est pour cela que le bon Dieu est si si bon!

J'ai été malade depuis deux semaines — un peu de fièvre — je dormais beaucoup — et je m'ennuyais tellement à mon réveil que j'essayais de dormir encore. C'est assez intéressant si ça ne dure pas trop. Jos est venue me voir trois fois, elle me parlait de Maurice et je l'aurais écoutée sans me lasser — elle m'en disait pourtant du mal : que c'est un «vieux garçon» minutieux, grognon, toujours dans ses livres, qu'il ne permet pas qu'on touche à ses papiers! En voilà des défauts! si les miens n'étaient pas pires! Mais je ne disais pas un mot ni pour approuver ni pour défendre! Le silence est d'or, ma mie!

Je ne retournerai en classe qu'au mois de novembre et je pars pour Montréal, demain, où je suis invitée chez tante Laframboise[12] où je vais faire des chapelles et jouer avec Amélie[13] à quêter dans l'église, à prêcher, à allumer des bougies de couleur, et à les éteindre avec un petit éteignoir d'argent!!! J'aimerais mieux étudier mais je n'ai pas le choix. Si je suis invitée à faire des sermons, j'en profiterai

---

12. Rosalie Dessaulles (1822-1906), fille de Rosalie Papineau et de Jean Dessaulles, avait épousé (le 8 février 1846) Maurice Laframboise (1821-1882), dont elle eut treize enfants.

13. Amélie Laframboise, née le 28 août 1858, huitième enfant de Rosalie Dessaulles et de Maurice Laframboise.

pour faire entendre à ma cousine quelques vérités agréables et utiles sur elle-même.

Tout a une fin, même les dévotions de sacristine, et me voici revenue, avec une rage de faire des choses raisonnables, d'apprendre des choses vraies, de faire autre chose que « la bibliothèque rose » !

Je trouve maman changée, fatiguée, et je voudrais pouvoir lui dire que je l'aime et que je désire lui être utile, faire quelque chose pour elle !

Tout ça c'est beau dans mon cœur, mais je suis trop sotte pour le dire, et elle ne se doute même pas de mes si bonnes dispositions !

J'ai un trésor à moi sur mes petits rayons, quatre volumes de Dickens que mon cousin Maurice Laframboise[14] m'a laissé emporter.

Vais-je pouvoir étudier avec cette tentation constante de lire ? Oui il le faut et je saurai bien me contraindre à faire mon devoir.

Je n'ai pas parlé de mes livres à maman, elle aurait dit : « Mais sais-tu assez l'anglais pour lire Dickens ? » et... enfin je garde mon plaisir pour moi. J'ai commencé : *Dombey and son*. Que je suis contente de les avoir ces livres ! Mais quatre ! ce sera vite fini !

---

14. Né le 20 mars 1850, troisième enfant de Rosalie Dessaulles et de Maurice Laframboise.

J'étudie bien, je comprends; ma classe m'intéresse. Tout m'y intéresse même les chiffres. Ils sont reposants, c'est fixe, c'est invariable, ça vous... stop!

Ma maîtresse est très intelligente, très instruite — je l'aimerais mieux moins spirituelle mais il faut bien l'endurer ainsi! Elle abuse de son esprit la petite démon!

À la maison tout est sens dessus dessous, c'est le B R E D A! et je n'ai jamais vu bredasser si grandiosement!

Pas un coin tranquille, excepté ma chère grande chambre, où je me réfugie avec mes livres de classe et mon Dickens que j'adore.

Maurice a dix-huit ans aujourd'hui — dix-neuf? Comme il est vieux — s'amusera-t-il encore avec moi? — il aimera mieux les grandes! Henriette Durocher, Marie-Luce, etc.! Je voudrais bien être une grande, celle qu'il aimerait mieux.

Nous sommes voisins et nous ne nous voyons jamais... Je ne vois pas Jos souvent non plus, j'ai toujours peur de la déranger quoiqu'elle m'invite bien affectueusement.

Elle me taquine — l'autre jour elle m'a dit que j'étais une « petite duchesse » qui tenait les gens à distance respectueuse. Un autre jour elle m'a appelée une « banquise »! Ça c'était trop drôle, si elle avait dit un « Volcan », passe encore!

Duchesse, banquise ou volcan, je suis bien seule et ma vie est celle d'une religieuse austère. Quand j'ai marché la distance entre la maison et le couvent, il me reste la classe pour travailler et la lecture pour me distraire.

Quand je pars le matin, personne n'est levé, excepté tante Leman qui est à la messe — les domestiques servent mon déjeuner — le midi j'ai une heure pour luncher et retourner, j'arrive à cinq heures le soir avec mes leçons à préparer — nous dînons à six heures et à sept je suis de nouveau à étudier — puis je lis aussi tard que je le puis — mais tante Leman surveille et mes soirées sont courtes.

Le jeudi j'ai mon après-midi — je lis, quand un de mes cousins ne vient pas – – alors il faut leur tenir compagnie. Quand c'est Gustave[15], j'aime bien cela — quand c'est Auguste[16], j'enrage et je me sens des dispositions assassines à son égard.

Le dimanche[17], c'est le pire jour de la semaine. Nous le passons à la chapelle — messe, rosaire, vêpres — salut, sermon! Je reviens ahurie à la maison à quatre heures, et je me plonge dans Dickens jusqu'au dîner. Le soir, étude.

Le jeudi c'est l'écueil de ma vertu! Le seul jour où je vois maman assez longtemps pour qu'elle ait

15. Gustave Papineau, né le 4 juillet 1855, fils aîné d'Auguste-Cyrille (Augustin) Papineau et de Marie-Louise Trudeau.

16. Auguste Stephen Mackay, né le 30 juin 1859, fils de Julie Papineau (neuvième enfant de Denis-Benjamin Papineau) et de François-Samuel Mackay, notaire et «syndic officiel» à Papineauville.

17. Le dimanche, les élèves externes du couvent de Lorette doivent se joindre aux pensionnaires pour tous les offices religieux.

le temps de me critiquer, ou de me gronder, suivant le cas. Mon orgueil regimbe et las! ma mie, nos bonnes résolutions croulent, laissant des ruines qui m'attristent, moi, l'architecte présomptueux et incompétent.

Ce fut détestable au couvent — maîtresses d'anglais, de musique et de français s'unirent en un accord touchant pour me gronder, ce qui me mit d'une humeur! Au sortir de cet enfer, je rencontre Jos qui me force à entrer chez elle, à ma surprise j'y rencontrai Maurice à qui j'aurais volontiers sauté au cou si nous étions des sauvages! Mais les convenances, mademoiselle! C'est un garçon, et on n'embrasse pas ça, des garçons! Pourquoi? Vas-y voir! Ordinairement c'est parce qu'ils sont si laids — mais quand ils sont gentils... comme lui!?

J'ai oublié qu'il était si vieux — et je n'ai pas été intimidée plus que d'habitude. Je le suis toujours un peu. C'est pourquoi je parle peu — il ne se décourage pas et finit par me faire parler, rire, dire des choses drôles que je ne songe pas à dire devant d'autres.

Avec les autres je suis sotte et je le sens — avec lui, je me sens fine et qu'il le trouve. Est-ce cela qui me donne de l'esprit? Il me contredit, il me taquine, il discute. Puis si nous sommes un instant seuls — il me parle doucement sur un ton pour «moi toute seule»; il ne parle jamais comme ça à Jos! Il me dit des choses bien ordinaires mais je les sens comme autant de petites phrases douces douces qui m'entrent dans le cœur et qui me rendent bonne. Quand je l'ai vu je voudrais toujours être meilleure!

8 décembre

J'ai communié ce matin — j'aurais dû être bonne — j'ai été au contraire affreuse. Je croyais avoir mérité le ruban d'enfant de Marie, mais je n'étais pas sur la liste et on ne m'a pas donné une seule raison de ce refus. J'ai pensé de vilaines choses de mes maîtresses — j'ai été jalouse des plus favorisées que moi, je me suis dressé un autel où je me suis encensée et devant lequel j'ai chanté mes vertus!

L'injustice existe, mais elle n'excuse ni mon admiration de ma petite personne, ni ma colère, ni ma jalousie.

Et avec tout cela, je m'admire!... oh! je suis dégoûtée de tout ce qui est si petit en moi. Je suis humiliée ce soir, profondément humiliée de mes laideurs.

Les sœurs n'ont pu constater mon désappointement, j'ai eu heureusement assez de fierté pour le leur cacher. Ma sérénité a dû les épater. Un cordon, qu'est-ce que c'est?... mais être jalouse et envieuse! ouais!

9 décembre

Fanny[18] vient de faire une colère! elle se roulait, elle criait, elle était toute défigurée — j'en suis tout émue, je me suis sauvée car on la punira, pauvre petite!

---

18. Demi-sœur d'Henriette Dessaulles, née le 17 février 1873.

C'était un petit ange, elle n'a jamais péché, et voilà le démon qui commence son œuvre en elle, et le bon Dieu permet cette horreur, qu'elle devienne méchante! Je me fatigue à y penser et plus j'y pense moins je comprends ce mystère. Le mal... L'étrange chose que le mal, je me le représente comme un monstre toujours prêt à attaquer et à dévorer — il ne s'est pas fait tout seul ce monstre? Qui l'a fait? Dieu? Ce n'est pas possible — le démon? Alors c'est avec la permission de Dieu?

12 décembre

En grandes récapitulations... j'ai peu de temps pour écrire mon journal, ce qui est triste, et peu de temps pour penser et souffrir de la froideur de maman qui me glace rien qu'à la regarder. Elle est peut-être malade? Alors je veux être gentille et bonne coûte que coûte! Aide-moi, cher petit Jésus de Noël!

Je suis souvent très distraite, et aujourd'hui à la récréation j'étais perdue dans mes... vagueries habituelles, quand j'entends la voix pointue de Sœur du Précieux-Sang: «Mademoiselle Henriette est priée de descendre des nuages!» Oh! si elle m'y laissait dans mes nuages, pour ce que c'est drôle de revenir sur terre... près d'elle et de toutes celles qui lui ressemblent.

Là! me voilà vilaine encore!

18 décembre

Depuis cinq jours on ne me permet pas d'aller au couvent parce que je tousse. J'étudie un peu mais je suis souvent fatiguée et je reste étendue des heures dans ma bonne chaise longue à regarder mon feu, à l'attiser, à ne penser à rien... ou à des... folies... pourtant non, je ne veux pas parler comme les sœurs qui appellent des «folies» tout ce qui n'est pas de leur petit «stock».

Quand je pense à lui, à mon grand ami, que je voudrais voir, à qui je voudrais dire un peu mes petites idées, je ne vois rien dans ce désir d'insensé ou de déraisonnable. Pourquoi alors hésiter à me l'avouer à moi-même?

Sainte Simplicité, viens m'envelopper!

25 décembre

Oh la belle messe de minuit — j'en suis encore ravie. La musique si pieuse, le recueillement, les lumières, le *tout ensemble* mystérieux et charmant m'ont laissé dans le cœur une impression douce qui me rend désireuse d'être bonne. Mais c'est difficile! et il faudrait m'aider *tant*, mon Dieu! Il faudrait me rendre un peu heureuse, beaucoup beaucoup aimée. Alors, que je serais courageuse et que tout me paraîtrait facile ou au moins possible.

28 décembre

Une belle tempête de neige qui m'apporte une joie. Après la classe[19], je rencontre Jos en traîne — le

---

19. Au couvent de Lorette, les vacances du jour de l'An ne débutent qu'aux derniers jours de décembre.

domestique conduisait. «Vite, monte, me dit-elle, je te ramène!» Je monte, enchantée — mais au lieu de me descendre chez nous, la voiture continue. «Nous allons au collège chercher Maurice!» Comme je bénissais la jolie tempête, la bonne petite Jos, le ciel et la terre de me procurer ce plaisir.

Et Maurice revint avec nous, il était gai, il nous taquinait, il riait de son petit rire moqueur, et ce fut bon.

Moi, je n'ai pas parlé beaucoup, j'étais intimidée parce que Jos était là et que j'ai peur de ses railleries — n'importe, je suis revenue dans ma chambre, tout enneigée et si gaie que je chantai jusqu'au souper, ne tenant pas en place dans ma chambre, au grand ébahissement d'Alice qui finit par me joindre dans mes pirouettes et mes courses.

Après le dîner j'offris à Alice de jouer à la balle dans l'escalier — et durant une heure ce furent des éclats de rire et un beau tapage qu'il fallut cesser pour permettre aux enfants de dormir.

Et me voilà à écrire tout ceci d'un cœur content et léger que je voudrais avoir toujours!

1875

3 janvier

La vieille année est disparue, la jeune est arrivée tout ensoleillée, et j'aime à m'imaginer qu'elle nous donnera du soleil sans se lasser, et du bonheur, et beaucoup d'affection ! Après tout, je ne demande pas des choses impossibles !

J'étais invitée avec Alice à passer l'après-midi chez Jos. Maurice y était, il ne retourne au collège que le cinq. Nous avons parlé du collège, du couvent, des vacances, de Dickens, et de moi ! Oui ! de *moi* ! Ça, ce n'est pas un sujet ordinaire et il faut une méthode spéciale pour arriver à me faire parler de ma petite personne. Ce que c'est cette Méthode ?... Des yeux bleus bien doux, une voix caressante, l'air de me trouver intéressante !... et le tour est joué !

En revenant, pour le dîner, nous avons trouvé Gustave installé pour passer quelques jours. Je l'aime bien pourtant, et j'aimerais mieux qu'il ne soit pas ici.

Maman l'a invité pour trois ou quatre jours... C'est singulier que je ne l'aie pas su avant !

Ce soir j'ai passé la soirée avec Gustave. Alice avait mal aux dents — maman était en haut avec une de ses amies. Nous avons joué aux cartes — puis j'ai joué du piano pour Gustave. Nous avons parlé ensuite jusqu'à dix heures.

Il a vingt ans, Gustave, et je me demande comment il peut s'amuser avec une petite fille comme moi! et il paraît réellement s'amuser!

Il ne me gêne pas comme Maurice, et cependant je l'aime bien moins... c'est étrange cela... je voudrais bien savoir pourquoi! Bah! c'est un pourquoi qui ira en rejoindre un tas d'autres auxquels personne ne répond jamais. Disons, pour être franche, que les questions ne sont pas «mon fort»!

5 janvier

Eh bien! ça valait la peine de faire la fière l'autre jour avec toi, mon cher cahier, et dire: «Moi! donner mon portrait, jamais!» Maurice ce matin m'a priée et suppliée et je n'ai pu résister et il l'a, ce fameux portrait. Il a paru si content! et il m'a remerciée de son petit air grave qui me gêne tant et que j'aime, car quand il le prend avec moi, je me sens une petite personne assez importante.

C'est drôle tout cela, c'est curieux comme on ne se sent pas avec un jeune homme comme avec une jeune fille... un tas de choses qu'on n'oserait dire on ne sait pourquoi, et puis, l'impression que *tout* ce qu'il dit peut nous faire.

Je creuse ce problème, moi!

Il y a Gustave, par exemple, qui est ici, mon cousin, que je connais depuis que je suis au monde, il pourrait bien me parler comme Jos me parle, me donner des nouvelles, parler de ce qu'il fait, de ce qu'il projette, non! il me roule des yeux, il parle toujours en allusions, comme si j'avais des torts avec lui ou comme s'il avait des choses bien mystérieuses à dire que je ne puis comprendre! Enfin! un galimatias qui me le ferait prendre en grippe s'il restait longtemps ici.

Et puis Maurice... s'il était une jeune fille, aurais-je songé à me faire prier pour lui donner mon portrait? Pourquoi me faire prier... l'aurais-je donné à un autre, n'importe qui? Non — alors c'est une préférence — elle est bien ordinaire cette préférence puisqu'il est mon ami, que je le connais depuis longtemps, pourquoi alors ces simagrées? Au fond j'avais du plaisir à le lui donner. — Tout cela me semble embrouillé sans raison, ou bien *uniquement* pour la raison qu'ils sont des garçons et moi une fille... et vrai, cela ne me semble pas une bonne raison celle-là!

Jeudi 4 février

Un mois sans écrire — je n'ai rien à dire mais je tiens à écrire une page avant d'avoir quinze ans. J'ai eu bien hâte d'avoir quinze ans et je crois que ce ne sera pas drôle du tout! — Je passerai l'année au couvent, à étudier, à me faire gronder et à inventer des singeries, ce qui me fera punir sans m'amuser, le reste du temps, à la maison, où je ne cherche que le silence et la paix de ma chambre. Dans tout cet ennui que j'entrevois il y aura de jolis rayons: quand je vois Jos, que je parle à Maurice, que je sens qu'ils sont mes amis — je ne devrais pas me plaindre – – et je ne me plains pas — mais de loin, quinze ans me paraissait un âge idéal et il n'y avait pas de rêves trop beaux pour me peindre tous les bonheurs que je trouverais dans mes quinze ans!

J'entends Alice qui grignote — la gourmande. Je vais voir et demander ma part. Ma dignité nouvelle ne se refuse pas aux friandises.

Le soir

Je n'ai pas écrit depuis longtemps et il s'est passé bien des choses durant ce mois.

Au milieu de janvier, Maurice a passé ses examens pour l'admission à l'étude du droit — puis il a été malade et j'ai bien prié pour lui. Il est guéri et retourne au collège mais comme externe.

Je ne le vois jamais!

6 février

La bonne journée — on m'a fêtée, choyée à mon goût — j'ai eu de jolis cadeaux — mais ce qui vaut bien mieux, j'ai senti qu'on m'aimait beaucoup! Maman a été si affectueuse, ma tante Leman m'a donné un autre volume de Dickens, mon cher papa m'a donné de la musique, Jos m'a envoyé deux jolis petits lampions pour ma chapelle et un billet *sweet*, dans lequel Maurice souhaitait, par l'entremise de Jos, de voir sa petite amie pour lui dire, à elle, ce qu'il souhaite pour elle. Hélas! je ne le saurai pas car je ne sais quand je le verrai.

N'importe j'ai été bien heureuse aujourd'hui, et je veux bien remercier le bon Dieu de toute cette affection dans laquelle je nage... et je veux lui demander que cela dure, j'aime à me faire aimer, même des bêtes!

11 février

Ma tante Leman a commencé à être souffrante samedi et depuis elle a été très malade d'une pleurésie — elle est enfin mieux. Ma tante Louisa[1] est arrivée et je suis contente pour maman qui va bien jouir de l'avoir avec elle. Cela la remettra de sa fatigue et de son inquiétude.

Si je disais un mot du bazar[2] où Jos et moi nous sommes si bien amusées. Le premier matin, ce fut très amusant avec les écoliers — mais je n'osai pas parler à Maurice — à peine l'ai-je salué, ce qui m'a valu le soir un beau sermon, presque une gronderie que j'écoutais sans avoir peur du tout. Il est gentil comme tout quand il gronde!

1. Marie-Louise Trudeau, née le 26 août 1830, fille de François Trudeau et de Ann Locke. Le 4 juillet 1854, elle avait épousé Auguste-Cyrille (Augustin) Papineau, cousin germain de Georges-Casimir Dessaulles et oncle de Fanny Leman Dessaulles.
2. Le bazar annuel, sous le patronage des Dames de charité, au profit des œuvres de l'Hôtel-Dieu de Saint-Hyacinthe.

Le mardi soir, Maurice passa au moins une heure avec mademoiselle Dubé, une vieille fille de vingt ans, que j'aurais voulu voir en Chine avec sa robe bleue. Elle lui faisait des mines, elle parlait comme un moulin, elle riait en montrant toutes ses dents — et hélas! elle était jolie et je la détestais! C'est si plus intéressant, des vraies jeunes filles qui ont des robes longues et les cheveux relevés. Et j'étais dans mon petit coin, tranquille comme une souris, un peu triste et, faut-il le dire, fâchée contre cette Célina de malheur!

Mais Maurice finit par me trouver et j'eus vite oublié Célina, la robe bleue et le chignon blond, et je passai avec lui plus, beaucoup plus, qu'une heure et je revins avec Jos et lui parce que maman m'avait confiée à madame Saint-Jacques pour la soirée. Une fameuse bonne idée qu'elle devrait avoir plus souvent!

13 février

Deux jours sans écrire — pourquoi écrire des choses tristes? — j'ai de la peine parce que maman m'a grondée hier bien fort pour si peu, une étourderie — et depuis elle est sévère et me regarde avec des yeux durs — et j'ai toujours le cœur gros et Papa est absent et le soir je ne puis passer mes bras à son cou et me mettre la tête sur son épaule, et sentir que je suis sa chère petite fille à qui il ne fait jamais de peine, lui, parce que c'est vrai qu'il l'aime.

Et elle?... non... j'ai bien peur qu'elle ne m'aime pas... pas beaucoup, bien sûr...

Mes classes m'intéressent et au couvent je vis... tranquille. Je n'aime décidément pas ma maîtresse qui est parfaite, paraît-il, mais elle m'agace partout ailleurs qu'en classe. Là, elle est idéale!

15 février

C'est enfin décidé! Jos revient au couvent demain comme externe. Je suis bien contente. Je vais l'avoir près de moi en classe, nous écouterons les mêmes leçons, nous ferons les mêmes devoirs, nous reviendrons ensemble, quelle bonne petite vie ce sera! Cela me fera oublier mes désappointements de la maison où la température est au froid... un froid sibérien qui vous fige!

Notre pauvre tante Minnie[3] est très malade — Papa est reparti — il est allé à Trois-Rivières pour faire plaisir à ma tante qui le désire. Elle va mourir peut-être! C'est affreux d'y penser.

22 février

Notre petite Fanny est malade, elle fait pitié avec ses grands yeux brillants. Je chante pour elle, je lui invente de belles histoires de fées et de lutins... Maman est inquiète, je crois, et cela la rend bonne avec moi — ce n'est pas un moyen que je souhaite

---

3. Marie-Julia Mondelet, demi-sœur d'Émilie Mondelet (épouse en premières noces de Georges-Casimir Dessaulles et mère d'Henriette).

pour qu'elle soit toujours affectueuse, j'aime mieux encore avoir de la peine que de voir Fanny souffrir et maman si triste.

Jos vient régulièrement au couvent et cela ne la fatigue pas trop. Je ne m'habitue pas à cette grande joie, et je recommence à être ravie chaque fois que je la vois près de moi. Cela me rend gaie et tout me plaît... même Sœur du Précieux-Sang et son esprit pointu.

Dimanche soir je passai la soirée chez M. Saint-Jacques. Jos avait quelques amis : les Durocher, Boivin, Sicotte, et mademoiselle Dubé qui a continué à faire des mines à Maurice ! C'est amusant comme tout de la voir !... si amusant et si ridicule que j'en ai ri de bon cœur sans songer à me fâcher comme l'autre soir.

Je n'ai pas dit quatre mots à Maurice — nous avons joué à « la poste », à l'assiette, aux « homonymes » et je me suis beaucoup amusée. Depuis, cela va très bien, je lis beaucoup, toujours mon Dickens et je constate que mes progrès en anglais sont rapides. Je ne puis pas dire que je ne néglige pas un peu mes leçons de classe pour arriver à tant lire d'anglais. Mais je n'ai pas de remords comme si je perdais mon temps tout à fait.

Pas plus surveillée que je ne le suis, je pourrais ne rien faire du tout et on n'en saurait rien à la maison... jamais une question sur ce que je fais, sur mes classes ou mes livres. Je ne m'en plaindrais pas si je ne voyais là un grain d'indifférence de la part de maman. Elle est bien occupée et après tout c'est bon d'être si libre dans ma chambre.

La singulière petite scène cet après-midi. J'avais été un peu fatiguée et distraite durant la classe. Interrogée trois fois sur l'histoire d'Angleterre, j'avais répondu médiocrement et sans entrain — à propos des querelles entre Henri II et Thomas Becket j'ai fini par dire que ce dernier devait être scrupuleux et querelleur et que je serais curieuse de voir une autre version de l'histoire que celle que nous apprenions. J'aurais arraché la coiffe de la sœur que je n'aurais pas obtenu un plus bel effet... et j'avais répondu ainsi pour taquiner, naturellement. Elle m'ordonna de me taire, ce que je fis docilement et j'affectai de dormir le reste de la classe. Après la collation elle m'amena seule avec elle et voulut savoir d'où me venaient ces «idées dangereuses». Je la regardai et lui dis que c'était une boutade, que je ne pensais pas un mot de ce que j'avais dit... et d'ailleurs que «cela m'était bien égal!» La voilà furieuse! elle me gronda et, comme je m'y attendais depuis le commencement, me demanda pourquoi je ne l'aimais pas, «car vous ne m'aimez pas?» Silence éloquent!

— Répondez, pourquoi ne m'aimez-vous pas?

— Pourquoi vous aimerais-je? Je vous obéis en tout, suis-je tenue à plus?

— Non, vous n'êtes pas *obligée* de m'aimer, mais ai-je mérité que vous m'aimiez si peu que je m'en aperçoive?

— Cela prouve tout simplement que je ne suis pas hypocrite et que je n'essaie pas de vous en faire accroire.

— Cela prouve aussi que vous n'avez pas beaucoup de cœur !

— Alors ne cherchez pas d'autre raison — c'est parce que je n'ai pas de cœur.

— Vous êtes blessée de ce que je vous dis ?

— Je vous trouve injuste de me dire une chose si blessante à propos de rien, d'une espièglerie, car l'affaire de l'histoire d'Angleterre c'était pour amuser les autres et moi-même !

— Vous m'avez, de plus, à peu près dit que vous ne m'aimiez pas !

— Vous m'avez questionnée, vous avez insisté — auriez-vous préféré un mensonge ? Je n'en dis jamais malheureusement !

Alors elle changea de ton et voulut me faire promettre que j'essaierais de l'aimer. C'est stupide et enfantin. *Essayer* d'aimer quelqu'un ! Ça ne s'essaie pas, ça est ou ça n'est pas, ma révérende ! Et dans ce cas, hélas ! j'ai naturellement gardé ces belles réflexions pour moi et jusqu'à la fin du *speech* j'ai été muette, *respectueusement* muette !

26 février

Cela va mal en classe, la pauvre sœur est raide, moi je suis aussi silencieuse et tranquille que possible afin qu'elle oublie ma présence, je m'empêche de questionner, de faire mes petites remarques et mes questions durant les explications et c'est un effort ennuyeux — je me sens comme les cierges de la chapelle sous l'éteignoir de Sœur Saint-Laurent.

C'est donc au couvent l'étouffement et à la maison je gèle! Oh! ces regards froids, ces paroles sèches, ce manque d'abandon et de bienveillance, jamais, jamais je ne m'y ferai!

Heureusement je trouve papa dans son bureau tout seul, et alors je l'accable de caresses, et installée sur ses genoux, je me blottis et je fais semblant de dormir afin qu'il ne bouge pas... mais si elle arrive j'ai vite abandonné ce cher refuge et je file en haut... comme si ce n'était pas à moi ce cher père-là! Pourquoi? Je ne saurais expliquer cette étrange impression où il entre de tout mais surtout la certitude de déplaire à maman, et l'impossibilité de lui laisser voir ma tendresse – – ça semblerait quêter la sienne! Et je ne veux rien quêter, jamais, à la peine de mourir de faim!

1er *mars*

Un autre mois qui commence, au couvent c'est un mois ridicule et ennuyeux! Si on est sage on gagne une rose en papier de soie, et on va, très solennellement, la déposer devant une grande statue laide de saint Joseph — Chaque semaine, on change ses roses pour une branche de lis, toujours en papier sale, les fleurs en sont plus ou moins nombreuses, suivant le nombre de roses. Au bout du mois, on va, toujours en procession, porter notre provision de lis au pauvre saint Joseph qui conserve son air un peu bête... parce qu'on l'a fait ainsi, je sais, je ne lui reproche rien, mais j'ai tant de plaisir et je ris si franchement de lui (sa statue) et de nous (les petites sottes) que je prévois encore des punitions comme l'année dernière.

Ces singeries-là, cela me fait rire et je ne puis arriver à comprendre quel bien cela pourrait me faire d'être moins gaie! J'ai eu ma rose aujourd'hui! — J'ai tout de même été un peu animée en classe, et mes questions ont fait sourire cette chère sœur qui commence à oublier mes méfaits et qui a toujours l'admirable patience de répondre à *tout* ce que je lui demande.

J'ai toujours l'espoir qu'elle ne saura pas... et qu'un jour elle aura ce petit embarras... je voudrais voir si elle aura assez de simplicité pour avouer qu'elle ne sait pas. Je crois que si elle avait ce courage, je l'admirerais assez pour l'aimer un peu... mais j'ai mes doutes et je grille de les éclaircir —

Au fin fond je suis bien «*small*», et je lui tends un piège, ni plus ni moins mademoiselle Critique!

Jos et moi revenons ensemble et nous causons au coin souvent une demi-heure — nous avons toujours tout à nous dire quand c'est l'heure de nous séparer.

Aujourd'hui j'aurais bien voulu lui demander des nouvelles de Maurice — je ne l'ai pas osé et aucun de mes petits détours n'a pu l'amener à prononcer son nom! Je ne sais pas s'il gagne des lis et des roses pour le bon saint Joseph, lui!

4 mars

Mon extrêmement ennuyeux cousin Auguste a passé la grande après-midi ici! C'est une épreuve qui dépasse ma vertu ! Je n'ai pas été aimable non plus, et s'il revient, c'est lui qui a une vertu à mériter de se faire canoniser !

Je me suis moquée de lui, j'ai bâillé, j'ai triché aux cartes, puis je l'ai accusé de tricher et je lui ai jeté le jeu de cartes à la figure. J'ai été détestable. Ce pauvre Auguste, il ne s'est pas fait, bien sûr, il se serait donné plus d'attraits.

Avec cela il est gourmand ! Quand il voit des bonnes choses, ses yeux s'arrondissent et semblent *tirer* à eux ce qui le tente.

Aujourd'hui, j'ai *clos* mes amabilités par une suprême moquerie qu'il n'a pas comprise. J'ai choisi un grand sac d'épicerie, j'y ai mis pommes, oranges, gâteaux, biscuits secs, un paquet énorme et je le lui ai donné à son départ, en riant tellement que j'en pleurais. Dans sa charmante simplicité il m'a remerciée sans se douter que je suis un monstre !

Ma tante passait comme Auguste disparaissait, j'étais dans des convulsions de rire.

— Enfin, qu'as-tu à rire ainsi ?

— Rien, rien, c'est un paquet ! Et je recommençais à rire et elle, de ses yeux si sérieux et si bons, elle interrogeait, presque inquiète. Enfin je pus lui dire que j'avais donné un sac de friandises à Auguste.

— Mais il n'y a rien là de si drôle, tu as été bien gentille et tu ne l'es pas toujours avec ton cousin !

À ce compliment immérité, le fou rire me reprit et je me sauvai, laissant cette pauvre tante tout ébahie !

Et il est laid cet Auguste, et bête — et vieux ! Brrr !

On est à nous préparer notre chambre en haut au troisième. À mesure que je me perfectionne je me rapproche du ciel, c'est dans l'ordre !

Vous l'avez donc voulue cette terrible chose et vous avez enlevé la mère de ces pauvres petits!

Pauvre Mme Saint-Germain et voilà sept petits orphelins! Il me reste dans le cœur une impression de crainte pour le Dieu sévère et despotique qui frappe si durement et d'une manière qui semble si incompréhensible. Quand pourrais-je parler à quelqu'un qui comprend, de ce mystère de la douleur, de la souffrance humaine qui me révolte? Je le voudrais si doux, si bon le Seigneur, et toujours!

10 mars

Je continue à récolter des roses, des lis et à m'ennuyer ferme! De qui? Mystère! De quoi? Motte! Comme dit la vieille Adèle[4]!

Je crois bien que si j'allais au fond je saurais répondre à toutes mes questions, mais voilà! je n'aime pas ces sondages!

C'est lugubre à la maison, des visages longs, des airs! Ah! misère de misère que je suis donc tannée!

Au couvent c'est stupide aussi, je ne travaille pas, on me sermonne et on me conseille quoi?... d'aller à confesse! Beau remède réjouissant.

C'est ce vilain temps qui me rend maussade, parce que ça n'est pas ma faute, oh! non! jamais de la vie!

---

4. Cuisinière chez Georges-Casimir Dessaulles.

Enfin je respire! Auguste est parti! Oh l'assommant! et aujourd'hui j'ai perdu, à cause de lui, une après-midi avec Jos. Elle est venue, quand elle l'a vu installé, elle a pris la fuite sans pitié pour sa pauvre petite amie qui était trop désolée pour être méchante.

Je me suis blottie dans un immense fauteuil et j'y ai passé trois heures aussi près des larmes qu'une petite fille peut l'être honorablement sans le laisser voir! Je vais demander à Maurice de l'étrangler cet odieux Auguste! Demander à Maurice! pauvre sotte! comme si c'était facile, je ne l'ai pas vu depuis, depuis si longtemps que je ne sais plus!

Bon saint Joseph, je te comble de roses et de lis, tu devrais bien m'obtenir de le voir, mon grand ami, un tout petit bout de temps, pour oublier quelques instants que tout va de travers dans ce pauvre monde! Je veux entendre sa voix si douce me dire: « Comme il y a longtemps que je ne t'ai vue. »

D'y penser me console. Comme ce serait bon de l'entendre et c'est si peu, ce que je te demande. Mais tu ne comprends pas cela, pauvre vieux saint Joseph, et je ne t'en veux pas va! je te trouve assez à plaindre! plus que moi encore!!!

L'essai du couvent ne réussit pas à cette pauvre

petite Jos qui est malade, et son oncle, le docteur[5], conseille à sa mère de la garder à la maison.

Encore un chagrin! Deux même! Qu'elle soit malade et de ne plus l'avoir avec moi.

C'est de ma jolie nouvelle chambre que j'écris ce soir. Que j'y serai bien! Je respire avec mes trois fenêtres qui me laisseront voir le ciel de tous les coins. Demain j'installe mes livres dans de jolis rayons que Papa a fait faire d'après un plan à moi.

Le soleil était chaud aujourd'hui, ça sentait le printemps dehors. J'aurais bien voulu aller embrasser Jos qui est malade, mais j'ai eu peur de rencontrer Maurice. Peur de le rencontrer? Quand je le désire tant? Oui, c'est étrange mais c'est comme ça! Je n'y comprends rien, mais je le fais, comme ça, parce qu'il le faut. Ça me le dit!

Je voudrais aimer un peu plus le bon Dieu, j'ai besoin qu'il m'aide, qu'il ôte de moi ce cœur de plomb!

Caroline Dessaulles[6] est partie ce soir après avoir passé deux jours ici. Elle se marie bientôt. Elle paraît heureuse — peut-être est-ce vrai et devient-on heureux en vieillissant... je voudrais bien être vieille moi!

17 mars

Jos écrivit un mot ce matin par le domestique, m'ordonnant d'aller la voir à quatre heures et demie.

5. Eugène Saint-Jacques, frère de Romuald Saint-Jacques, pratiquait la médecine à Saint-Hyacinthe.

6. Née le 13 octobre 1852, fille unique de Louis-Antoine Dessaulles et de Zéphirine Thompson.

Au sortir de la classe je me rendis donc toute contente de n'avoir rien à décider. La vieille Marie m'ouvrit la porte. «Il faut monter à la chambre de mademoiselle car elle est encore au lit.» Je monte en courant, j'arrive comme un tourbillon et je tombe presque dans les bras de Maurice qui venait au-devant de moi je suppose.

J'enlevai manteau et chapeau et je restai à m'amuser avec eux jusqu'à six heures. Oh! le joli petit bout de vie! que nous avons ri et jasé. Maurice me dit qu'une de mes fenêtres donne sur la sienne, nous voilà voisins encore *plus*! Pour le plaisir que ça rapporte, ce voisinage, ça ne vaut pas la peine d'en parler!

C'était la Saint-Patrice! Jos s'était mis un ruban vert dans les cheveux, Maurice un soupçon de vert à la boutonnière. Il me l'offrit.

— Mais je ne suis pas Irlandaise[7], moi, je n'ai aucun droit de le porter ce ruban vert!

— Tu devrais l'être! — fut l'énigmatique réponse de mon grand ami.

— Alors, à cause de mes mérites, j'accepte! Et je pris le petit ruban, symbole d'espérance non d'être Irlandaise, je n'y tiens pas, mais d'être heureuse.

Maurice ne sort pas depuis trois jours, parce qu'il a un gros mal de gorge — il était très pâle, quand il ne me regardait pas, je l'examinais... malgré son joli sourire si moqueur, comme il a l'air sérieux, presque sévère... Il doit me trouver bien enfant, pauvre petite Moi!

---

7. Par leur mère, Jos et Maurice Saint-Jacques étaient d'ascendance irlandaise. La famille Buckley avait émigré d'Irlande en 1818.

Hier et avant-hier j'ai été d'une gaieté folle, au-jourd'hui je suis allée avec Jos voir Héloïse[8] toujours immobile et attachée sur ces planches! Je suis revenue attristée et sérieuse.

La pauvre petite! Quelle vie désolée! non seulement être soumise à un traitement si difficile mais être soignée «à la fourche» par sa vilaine belle-mère. Et moi qui me plains et qui prétends ne pas être assez aimée de maman! Mais c'est injuste! Maman est bonne et dévouée, et s'occupe sans cesse de notre bien-être. Quand je la compare à l'affreuse et méchante Mme Bachand je ne puis pas assez remercier Dieu de m'avoir ainsi favorisée. Alors, petite moi, ne pense pas aux tendresses rêvées et que tu te crois refusées par elle qui remplace ta mère, songe plutôt aux petits qui n'ont plus de mère et je dis à la sainte Vierge d'avoir soin de nous et de nous garder.

Je fais mes prières bien distraitement, et j'ai rarement de mes anciennes ferveurs qui me tenaient à la chapelle absolument heureuse d'y être. Au contraire mes prières sont laides — il est rare que je me rende au bout sachant bien ce que je dis et même où je suis.

J'ai cru que c'était mieux de dire à confesse que je priais mal — ah! si j'avais pu prévoir les questions

---

8. Héloïse Bachand, fille aînée de Delphine Bougret dit Dufort (décédée en 1864) et de Pierre Bachand. Le 29 avril 1868, celui-ci avait épousé en secondes noces Marie-Louise Marchand.

sottes et indiscrètes comme j'aurais bien fermé le bec! M. Prince[9] commence donc à me questionner sur mes affections... si j'aimais beaucoup une sœur, ou une jeune fille, ou un jeune homme???

— Les sœurs toutes également.

— Une jeune fille?

— Oui une, comme une sœur.

— Jeune homme?

J'étais embarrassée — j'aime bien Maurice, mais ce n'est pas une faute et ce n'est pas de ses affaires! Pendant que je réfléchissais: «Répondez, dit-il sévèrement, aimez-vous un jeune homme plus que les autres, y pensez-vous souvent, tous les jours?»

Il a fallu dire oui... et ce que j'étais fâchée! On dit ses péchés, on n'est pas tenu à plus — et les singuliers avis que mon aveu forcé m'a valus: «Ne pas chercher l'occasion de le rencontrer seul! — Ne pas l'encourager à être *tendre* (Ô stupidité!), de prendre avec lui un air froid! d'éviter de le regarder en face!»

Pauvre vieux M. Prince, je crois sérieusement qu'il est fou! Les absurdes choses et les beaux conseils que je n'ai pas demandés.

Mon cher bon Dieu, vous qui voyez le fond de mon cœur, vous comprenez, n'est-ce pas, que je ne puis obéir. M. Prince n'a pu savoir ce qu'il disait, il n'a pas compris que Maurice est mon grand ami, le meilleur qui soit après papa. De plus, je ne lui ai pas

9. Jean-Joël Prince (1816-1893), ordonné prêtre à Montréal en 1845, était professeur au Séminaire de Saint-Hyacinthe et aumônier au couvent de Lorette.

demandé de règle de conduite, c'est un vieux curieux et comme je regrette de lui avoir répondu!

Je ris quand je pense aux insolences que j'avais envie de lui répondre à chaque recommandation.

Le beau résultat de toutes ces bêtises c'est que ce matin je n'ai pas communié. J'étais si fâchée contre M. Prince et si décidée de ne pas m'occuper de lui, et de ne plus jamais lui dire que des gros gros péchés (si je puis en faire!), que je ne me suis pas trouvée bien préparée pour recevoir le bon Dieu dans mon cœur. Et cette communion manquée me fait de la peine et je me tourmente, je m'inquiète, j'ai peut-être mal fait de l'omettre! Vieux laid va!

30 mars

Maurice a failli partir pour Québec avec Gaspard[10] qui retournait à l'Université. J'ai été cinq jours sous cette triste impression, puis tout s'est arrangé pour moi et dérangé pour lui qui a si hâte de commencer ses études de droit. Et je suis contente parce que je suis une égoïste qui me réjouis de ce qui *doit* désappointer Maurice. Je dis doit car je ne l'ai pas vu et à Jos qui m'a informée de tout cela je ne fais jamais de questions. Elle a le défaut de dire les faits et de ne jamais parler des impressions des gens. Moi je n'attache d'importance qu'aux impressions, ou aux faits en autant qu'ils affectent les sentiments de ceux que j'aime. Jos écrit son journal et elle me le laisse lire —

10. Gaspard Turcot, étudiant en médecine à l'Université Laval.

ce sont d'amusantes petites histoires sur ce qu'elle fait ou ce qu'elle a vu faire ! Elle me reproche de ne pas lui laisser voir *mon* journal et ne comprend pas pourquoi. Je refuse en disant : «Oh ! moi, j'écris pour moi toute seule !» Je ne lui explique pas que c'est mon âme qui tient la plume et qu'il est impossible de lui laisser lire mon âme.

Comme je vois Maurice si peu, je me demande si, en réalité, cela ferait une grande différence s'il partait.

Mais oui, j'ai toujours l'espoir de le voir, je le sais si près, dans sa chambre vis-à-vis la mienne, je le devine derrière ses rideaux, quand Jos me parle, elle vient de lui parler, je sais par elle ce qu'il fait, où il est, et alors je ne me sens pas toute seule, et chaque fois que j'ai la moindre petite joie, quand ce ne serait que de voir sa lampe s'allumer le soir, je me dis qu'il est mon ami et que rien ne peut empêcher cela. Ça me console si j'ai de la peine et ça double ma joie si j'en ai un peu.

Je me mets à l'étude sérieusement ce soir — j'ai été indolente et amollie depuis une semaine.

Plus tard

Cette pauvre tante Gaudet[11] est morte — nous en recevons la nouvelle aujourd'hui. Il y a longtemps qu'elle est malade. Quatre petits orphelins encore. Mon Dieu, mon Dieu que vous faites de tristes

11. Marie-Julia Mondelet («tante Minnie»), qui avait épousé, le 23 juillet 1866, Jean-Frédéric Gaudet.

choses. Pour qui est-ce mieux cette séparation ? Pour la pauvre mère ou pour les pauvres petits ?

Je ne puis pas entendre ou voir de si tristes choses sans avoir une laide impression dans le cœur : « Comment Dieu peut-il être en même temps si bon et si cruel ? » Je chasse cette vilaine pensée mais j'en reste toute troublée et je fais des efforts pour ne plus m'y arrêter.

Mon Dieu, je ne *veux* pas voir en vous un maître dur, pardonnez-moi et faites-moi voir ce que je ne comprends pas dans votre sévérité, car il doit y avoir quelque chose de caché, que je ne sais voir et qui expliquerait cette douleur dont vous accablez tant de monde.

2 avril

J'avais un gros mal de tête que Jos et moi avons noyé dans nos folies et nos éclats de rire. J'aurais voulu sauter et crier de joie de vivre, de sentir le soleil si chaud, de voir le ciel si bleu, d'être gaie, et d'avoir une Jos si fine si fine que j'aime !

Ce soir en fermant ma fenêtre j'ai entrevu Maurice qui, penché sur son bureau, paraissait écrire. Il ne bougeait pas, je le voyais de profil et je n'ai pas osé le regarder longtemps. S'il avait levé la tête ! Il aurait pu croire que je le vois souvent ainsi et c'est la première fois.

Comme il est près et comme nous nous voyons rarement. C'est singulier cela... Que je voudrais donc être un garçon !!

Comme il y a des gens bêtes; bêtes, curieux et méchants! Et on ne peut pas les tuer comme les pauvres rats qui ne sont pas si nuisibles, c'est sûr! Non, on ne peut pas les tuer, et il faut tenir compte de leur opinion... Pourquoi? Parce que nous sommes tous un peu bêtes, je ne vois pas moyen d'expliquer cette déférence autrement!

On a remarqué que je tutoyais Maurice, que nous nous tutoyions, et on trouve que ce n'est pas convenable, trop familier, etc.!

Il va falloir lui dire *vous*, et comment lui expliquer ce changement? Lui qui me trouve si enfant, va-t-il rire de l'importance que j'aurai l'air de me donner quand je lui défendrai de me tutoyer. Il va rire de moi, il ne voudra pas! ah! misère! Comment faire? et je le verrai peut-être demain, Jos m'a dit ce soir en me reconduisant ici: « Tu viens passer l'après-midi chez nous demain, maman doit le demander à ta mère aujourd'hui — elle doit aller la voir. Viens, *nous* t'attendrons à bonne heure. » — Elle a dû vouloir dire Maurice... je l'espère et je vais faire rire de moi pour la peine!

C'est arrangé, la grosse affaire! J'ai vu Maurice, qui a mis des restrictions à mes sévères projets — D'abord il m'a fait dire *pourquoi* il fallait ce changement et puis il a décidé que nous dirons «tu» quand nous sommes seuls. Je me vois d'avance me tromper devant les autres et ce sera bien pire! Ça ne fera jamais, cette demi-mesure, avec ma vivacité et mes distractions! Mais il n'a voulu rien entendre et comme je m'y attendais il s'est bien amusé de mes *progrès* comme il dit. Il paraissait bien m'aimer et j'ai regardé ses chers yeux bleus si tendres et si moqueurs. Ô M. Prince! cachez-vous pour ne pas voir, c'était délicieux malgré vos bons avis!

11 avril

J'ai communié ce matin. J'ai bien prié — il y avait de la jolie musique et j'étais remuée. C'est le bon Dieu qui en a profité.

Au retour, en allant déjeuner Jos me dit que les jeunes gens sont allés «aux sucres» à Belœil. Ils auront un temps charmant. Le soleil brille, tout a une délicieuse teinte verte — comme ce sera beau dans la montagne.

Grande discussion aujourd'hui avec Sœur Sainte-Cécile qui veut que je *sollicite* mon ruban d'enfant de Marie. J'ai protesté vivement — Mon orgueil n'admet pas ces importunités. J'ai demandé ce ruban une fois, on ne me l'a pas donné, et on ne m'a jamais dit pourquoi, qu'elles le gardent, ces bonnes sœurs. Jamais je ne le redemanderai.

Sainte-Cécile m'a appelée mauvaise tête, orgueil-leuse, et tout ça c'est vrai, mais ne change rien à ma résolution d'attendre patiemment qu'on vienne m'offrir les honneurs!

Je lis toujours Dickens et je vis avec ses personnages, je les aime, je les déteste, je partage leur vie, je pense avec eux. C'est une agréable diversion dans ma petite vie cloîtrée, mais cela nuit un peu à mes études que je bâcle pour pouvoir lire plus longtemps. Ce n'est pas bien ? Je le sais parfaitement !

15 avril

Ma cousine Caroline s'est mariée ce matin[12] et elle part pour l'Europe — elle est bien heureuse — je voudrais voyager, aller très loin dans les beaux pays dont les noms seuls font rêver ! En attendant je m'ennuie, et je ne suis pas du tout à mon devoir. C'est qu'il est ennuyeux et monotone mon devoir, et moi je suis une petite lâche ! Ouah ! je voudrais dormir deux mois — ou me changer en rat !

Huit jours que je n'ai vu Maurice, même de très loin... Jos insiste souvent pour que j'entre chez elle, mais je résiste à cette grosse tentation, toujours dans la crainte de rencontrer Maurice que je voudrais tant voir !

Mystère ça s'épelle avec un *M*, un *y*, un *s*, un *t*, un *e*, *re* !

16 avril

Il fait froid et une petite pluie glacée qui vous cingle la figure ! Il n'y avait pas autre chose à faire que des

---

12. Caroline Dessaulles épousa Frédéric-Liguori Béique (1845-1933), le jeudi 15 avril 1875, en l'église Saint-Jacques-le-Majeur, à Montréal.

folies pour ne pas mourir tout *drète*! C'est à quoi nous nous sommes appliquées, Jos, Alice et moi. Nous avons réussi au-delà de toute expression et j'en suis encore toute gaie! J'ai vu Maurice trois minutes! C'est mieux que rien, mais c'est pire que plus!

Ô Sagesse, si tu m'entendais! Que dirait-il s'il savait que je l'appelle Sagesse? Je l'appelai d'abord Salomon, mais en apprenant qu'il avait eu tant de femmes je l'ai pris en horreur!

Mary[13] m'a dit aujourd'hui que le plus *fin* garçon du monde, et le plus gentil, c'est son cousin Maurice! Elle a bien découvert cela toute seule la petite sorcière! — elle est gentille mais je n'aimerais pas que son cousin la trouvât la plus gentille du monde.

Dans tous les cas, pauvre petite moi, qu'y pourrais-tu? Ah bah! à quoi vais-je penser là — qu'il la trouve gentille et moi aussi et il faudra que tout le monde soit content. Tu entends, regimbeuse petite moi!

19 avril

Grand congé assez embêtant — Augustine[14] a passé l'après-midi ici — elle m'amuse ordinairement, mais pas aujourd'hui. Rien ne pouvait m'amuser aujourd'hui parce que j'étais méchante!

13. Mary Louise Buckley, née le 7 mars 1861, fille aînée de Charles Peter Buckley (frère de madame Saint-Jacques, décédé le 26 octobre 1865) et de Josephine Louisa Williams.

14. Fille aînée (née le 25 juillet 1858) de Napoléon Bourassa et d'Azélie Papineau. Elle fut pensionnaire au couvent de Lorette de 1872 à 1876.

Notre petite organisation... postale est découverte. Que va-t-il arriver ? C'est la longue langue de la belle Céphise[15] qui a donné l'éveil, et nous en souffrirons toutes.

Que dira Anna[16] à son retour ? Aussi, l'idée de lui écrire en cachette. Je ne vois pas ce que Céphise, Augustine et compagnie avaient de si particulier à lui dire ! Enfin, j'aurais dû faire mes objections avant de porter les lettres[17]. À présent, je n'ai qu'à endurer les conséquences de mes actes.

Je ne suis pas fâchée de l'animation que ce *procès* va apporter à ma grise vie ! Tout pour une diversion !

Jeudi 22 avril

L'affreux avant-midi ! J'en tremble encore... c'est ridicule tant de tapage pour quelques lettres inoffensives écrites à une compagne malade, dans le but surtout de taquiner les sœurs en faisant une chose défendue. C'étaient des frappements de main, des cris, des hurlements, et je finis par trouver cette scène si burlesque que j'employais toute ma volonté à ne pas éclater de rire. La punition suivit le furibond discours et, pour ma part, je suis en retenue huit

---

15. Fille du juge Wilfrid Dorion et de l'une des filles du docteur Trestler, de Montréal. Pensionnaire au couvent de Lorette, elle y termina ses études en même temps qu'Henriette Dessaulles.

16. Peut-être Anna Delorme, dont le nom figure ailleurs dans le *Journal* (11 juillet 1875 et 25 janvier 1878).

17. Des amies, pensionnaires au couvent de Lorette, auraient confié leurs lettres pour «Anna» à Henriette Dessaulles, qui y était alors élève externe.

jours avec devoirs supplémentaires pour occuper ma réclusion.

Je m'en fiche un peu des devoirs et de la retenue et des sœurs et de tout le bataclan!

Sœur du Précieux-Sang, après avoir été enragée, a été pointue, ironique et n'a pu résister au plaisir de faire un peu d'esprit. Au lieu d'étaler son esprit, elle devrait nous prouver qu'elle en a en étant plus modérée et plus digne.

Toutes ces criailleries sont vulgaires! Ouah!

23 avril

Brouille parfaite de Jos et moi avec «l'Ange» (Sœur Sainte-Cécile). Elle vous a de fameuses cornes à ses heures!

Pour le moment elle m'a enlevé ma musique et j'en suis réduite aux exercices chromatiques et à la mécanique des cinq doigts. Si la musique ne me transporte pas après quelques jours de ce régime!

J'ai les yeux grands ouverts par exemple sur les très féminines imperfections d'une jeune sainte en herbe qui se nomme Sainte-Cécile, et qui me maltraite pour me cacher sa faiblesse pour moi. C'est de la coquetterie, si je m'y connais un peu! J'ai accepté ma disgrâce gentiment — pas une révolte ni la plus petite colère... mais je l'attends Sainte-Cécile! Elle me *fera des excuses* ou je ne jouerai pas à la distribution des prix. Qui serait plus attrapé, ma méchante petite sœur? Vais-je m'amuser quand vous aurez besoin de mes services? Et vais-je abuser de la situation et me faire prier avant de consentir à vous pardonner généreusement!

De quoi se mêle-t-elle cette petite Sainte-Cécile! Elle prétend que ma nonchalance, ma paresse à la salle de musique comme ailleurs, indiquent un *état d'âme inquiétant*! Elle fait allusion à une affection... hum! hum!

Elle m'a fait rougir la petite prêcheuse... je tremblais qu'elle ne nommât Maurice. On ne sait pas ce qu'elles savent ces curieuses petites nonnes!

Ça m'a plus amusée ce discours que mes fichus exercices! Et le résultat, sage moraliste? C'est que je pense encore plus à mon grand ami dont vous vous occupez tant!

En revenant à la maison, je le rencontrai qui faisait une promenade sur Charlie qui avait l'air très émoustillé et qui l'emportait bon train. Que je voudrais monter aussi, aller vite comme le vent et me rendre au bout du monde, aussi loin qu'on peut aller!... au risque de me faire manger toute ronde par les gentils sauvages anthropophages!

Grand congé et immense ennui! Jusqu'à Dickens que j'ai envoyé rouler sous mon lit. Si je pouvais y envoyer aussi tous ceux qui m'exaspèrent!

J'ai vu Maurice cinq minutes chez Jos, où j'étais entrée chercher un patron de dentelles. Mais ces jolies minutes, même, n'ont pu me remettre un peu de calme dans le cœur. Je voudrais mordre et égratigner et je ne puis que pleurer, ce que je fais depuis une heure. Je *m'aime* quand je suis enragée, car j'ai le courage alors de dire ce que je pense, ce que je trouve injuste et méchant, je l'ai fait tout à l'heure, elle a paru surprise et elle s'est tue ! Miracle !

Que je me sens malheureuse, et pourquoi me fait-elle de la peine si gratuitement ? Pourquoi, pourquoi tout ce si triste de ma vie ?

29 avril

Ma colère est tombée – – j'ai honte de moi quand je pense à ce que j'ai dit dans mon indignation hier... Je ne trouve pas que maman ait été juste — elle a été sévère et irritante — mais j'avais eu mes torts avant et je n'ai jamais raison de lui parler si laidement qu'hier. Non seulement je dois la respecter, mais je dois me respecter assez pour ne pas parler comme une petite furie !

C'est très rare que je perde mon calme et une fois la digue rompue, il n'y a plus eu de mesure.

Je veux réparer et faire mes excuses à maman dès ce soir. Oh! que c'est difficile... surtout avec cette impression si forte que tout irait bien si elle le voulait, et que je ne suis pas seule à me tromper dans toutes nos difficultés. Ces difficultés, quand on en voit le fond, sont des insignifiances. Maman est très exigeante et tracassière; avec un peu d'affection et de tendresse, elle obtiendrait de moi ce qu'elle voudrait, mais non, elle impose sa volonté à raison ou... à tort, et toujours impérieusement et de façon à me révolter toute... parce que je suis orgueilleuse? Je ne le nie pas. Mais je suis aimante aussi... pourquoi l'oublie-t-elle tant?

1ᵉʳ mai

Enfin, un nouveau mois! Puisse-t-il ne pas ressembler au dernier. C'est à dégoûter de la vie, ce temps rechigné.

J'arrive du mois de Marie avec... Maurice! Je lui ai dit *vous* parce que Henriette Durocher était avec nous. Elle a ouvert de grands yeux! elle y pensera quelques jours.

Maurice a été assez fin pour ne se servir ni de *vous* ni de *tu*. Il était à peindre avec son petit air narquois et triomphant! J'en ris encore! C'est charmant de si bien nous comprendre sans nous parler, car nous n'avons pas pu nous dire même bonjour sans témoin. N'importe, ça m'a fait un petit velours ce retour d'église, il est tard et je vais aller rêver du mois de Marie.

5 mai

Rien de drôle au couvent, ni à la maison, ni dans moi. Il pleut — il fait un grand vent froid, les nuages sont noirs – – depuis le mois de mai pas un rayon de soleil !

J'aperçois Maurice qui lit, et fume en lisant. Si au moins je pouvais fumer ou... sacrer ! Mais je ne sais pas et c'est défendu !

6 mai, l'Ascension

Sortons de notre peau, pauvre petite âme à moi, et montons au ciel pour y oublier nos laideurs et celles de notre prochain — Celles de mon prochain surtout me causent une vive antipathie. Ça ne me ferait pourtant pas de mal de travailler à me corriger. Qu'en distu, muet et patient confident ?

Je suis allée à confesse hier — j'évite de parler de la tiédeur, c'est un sujet dangereux. Évitons les trous, ma petite âme, et cheminons tranquillement dans la poussière et la paix ! Me voilà loin de mon Ascension ! Maurice me trouverait peu raisonnable et peu raisonnante. Mais, Sagesse, je ne pourrais vous ressembler, une enfant ! Oui, c'est vrai, il dit que je suis une enfant et il le croit !!

13 mai

Cousine Louise[18] a chanté divinement — j'étais dans un grand fauteuil, loin de la lumière, écoutant et me perdant dans cette harmonie — j'en ai pleuré... de

18. Louise Laframboise, née le 14 juillet 1858, quatrième enfant de Rosalie Dessaulles et de Maurice Laframboise.

plaisir?... de quoi alors?... Je ne sais, j'étais toute remuée, toute vibrante et je viens de remercier Dieu d'avoir créé la musique, et de m'avoir mis dans l'âme une telle puissance d'en jouir!

Je n'ai pas parlé à Maurice depuis le premier mai, j'ai à peine vu Jos qui a été souffrante et que je ne vais pas voir par entêtement, c'est elle qui le dit — je sais mieux moi!

J'étudie assez bien, tout va assez bien et le temps file et ramène les vacances!

15 mai

En revenant de l'église ce soir je rencontre Maurice qui marcha avec moi jusqu'à la maison. J'étais intimidée, gauche et... dinde! En me laissant, il me tendit la main.

— Bonsoir, petite statue, où est donc ma petite amie Henriette?

Je l'ai regardé avec mon âme dans les yeux.

— Mais la voilà revenue! Pourquoi cette grande timidité — ou bien es-tu fâchée avec moi?

— Oh! non!

— Alors tout est bien, j'aurais de la peine, vois-tu, beaucoup de peine de ne plus être ton ami. Bonsoir.

Merci mes yeux, mes chers yeux, sans vous, il ne me retrouvait pas!

Mariage de Mlle Cartier. Il a l'air bête! elle était jolie mais en soie bleue! Moi ce sera du blanc, beaucoup de blanc léger, vaporeux et voilant. Et si j'entre au couvent? Du blanc? et si je meurs? du blanc, toujours du blanc!

Je n'écris pas souvent, j'ai tant de travail que j'abandonne même mes chères lectures. Je n'ai donc pas le temps de m'ennuyer mais je suis un peu fatiguée, et j'ai la tête vide et rien à écrire.

Fête de la reine — petit congé — chaleur accablante. J'ai de la peine et je suis bien méchante. Le temps me pèse, je voudrais arrêter, me reposer de vivre! Mais non, tous les jours ça recommence, les autres et moi, sans arrêt et sans progrès.

J'ai vu Maurice un instant. Cela me fait du bien ordinairement. Mais il avait son air de juge, je suis restée dans ma coquille. Jos a parlé toute seule, quand je suis partie, Maurice est venu à la porte. Je partais sans lui donner la main — il tendit la sienne, alors je lui donnai ma main. Il l'emprisonna dans les deux siennes.

— Tu ne partiras pas sans me dire pourquoi tu n'es plus la même avec moi. Vite, dis!

Je secouai la tête faisant signe que non.

— Eh bien alors je te garde ici.

— Toujours?

— Oui.

— Je suis bien contente! fis-je avec un gros soupir.

Il rit de bon cœur.

— Tu es une petite énigme et je vais essayer de la deviner, mais je ne suis pas fin du tout — il faudra que tu m'aides?

Je partis sur ce point d'interrogation.

Pouvais-je lui dire que je suis si malheureuse à la maison et que je n'en puis plus et que tout va si mal!

J'étais bien, là, emprisonnée et gardée par lui...

25 mai

Sœur Sainte-Cécile me donna de la musique pour Jos. J'allai la porter en revenant du couvent. J'étais dans la chambre de Jos et nous riions aux éclats quand Maurice entra. Il avait dû passer la main dans ses cheveux en étudiant et il était échevelé. Cela m'a *dégênée*. Nous avons causé, ri joyeusement et tout simplement, comme si c'était une chose ordinaire et simple de nous voir et de nous parler. Pourquoi n'est-ce pas toujours ainsi? Est-ce ma faute? – – – probablement, c'est toujours *ma faute*, avec tous!

29 mai

Belle promenade en voiture. Papa et maman en arrière, moi, toute seule en avant, conduisant les chevaux et nageant dans le vague et les étoiles! Nous sommes revenus à dix heures.

La bonne soirée — je suis tout apaisée, bonne, j'aime le bon Dieu et je voudrais être un ange pour le lui dire mieux.

Et tous mes chagrins ?... Je n'y veux plus penser. J'en forge la moitié. Je suis exigeante et capricieuse et souvent injuste et toujours braillarde... Pas devant les autres jamais ! Parce que je suis pétrie d'orgueil !

En fin de compte, je suis heureuse parce que je me dis des injures — ou bien est-ce que je me dis des injures parce que je suis heureuse ? Je m'en fiche !

1er juin

Belle journée au bois. Beaucoup de plaisir avec Sœur Sainte-Cécile. Jos en raffole — je l'aime bien, mais modérément.

Nous avons cueilli des fleurs et chanté et couru et pleinement senti que nous vivons ! Que c'est bon ! C'est ça qu'il me faut. Aimer — aimer tout le monde et toutes les choses et tous les êtres et me sentir toujours unie à tout — jamais repoussée ou tenue à distance.

Bientôt les vacances. Il me semble que j'en jouirai plus que d'habitude.

En attendant je travaille beaucoup — j'ai renoncé à tout ce qui n'est pas ma classe. À cinq heures et demie je suis au jardin, sous les pins où j'ai ma table de travail. Adèle m'apporte du bon lait et un morceau de pain en attendant mon déjeuner à sept heures et demie. Tout est frais, parfumé, si tranquille — je prends des forces pour la journée. La chaleur est fatigante.

Au retour de la classe, j'emmenai Jos voir mon muguet — je lui en donnai une grosse botte et lui recommandai d'en mettre la moitié dans la chambre de Maurice. J'aimerais autant qu'elle l'oubliât... et pourtant... oh! Chaos!

Je sortais du magasin du couvent où j'étais allée acheter un cahier — je rencontrai Mère Saint-Marc qui me garda une dizaine de minutes à parler avec elle.

Elle me demanda si j'allais aimer le monde. Je fis d'abord une réponse qui ne voulait rien dire, elle insista, et je lui dis alors qu'il y avait des choses qui me déplaisaient dans le monde comme au couvent.

—Vraiment? dit-elle très moqueuse.

— Oui, et la chose qui me déplaît le plus existe dans les deux au même degré.

— Qu'est-ce donc?

— Les simagrées, ma Mère.

—Vous dites?

— Je dis les simagrées.

Elle rit et me fit lui expliquer comme je déteste tout ce qui n'est pas vrai, simple et naturel. Je suis toute surprise de ma hardiesse. Jamais je ne me serais crue capable de parler si ouvertement avec la Supérieure.

Ce soir j'ai vu passer Maurice à cheval. Jos lui a donné le muguet, il m'a fait remercier par Jos — la petite menteuse dit : « Il t'embrasse autant de fois qu'il y a de branches de muguet. » Je sais bien que ce sont de ses inventions.

10 juin

Nous étudions à nous faire mourir — pas une minute à moi d'ici nos examens. Il fait chaud — je suis très fatiguée. Ce serait si bon n'avoir rien à faire et flâner sous les pins en regardant les nuages se poursuivre sur

Je ne sais plus — Que j'ai hâte que les vacances commencent !

15 juin

Les examens anglais terminés — dans trois jours j'aurai tout fini. Très bons examens d'anglais — la plus forte, grâce à Dickens ; c'est un agréable professeur.

C'est un soulagement d'avoir cette préoccupation de moins. — Ce soir Jos m'appela à la « Clôture », pour aller étudier notre duo. Elle s'impatienta contre Maurice parce qu'il me faisait parler pendant que je jouais.

Il alla s'asseoir au bout du salon — il était sérieux, presque triste. Je crois que Jos lui a fait de la peine. J'aurais voulu aller le faire sourire — mais il fallait piocher !

Il me ramena à la maison... nous avons fait des projets pour les vacances, ses examens sont terminés. Il me trouve pâle et *muette*. Il m'intimide et je ne puis plus lui tout confier comme autrefois et je l'aime bien pourtant... il me demande encore pourquoi je ne lui parle plus comme autrefois, comme l'été dernier.

— Je ne sais pas, tu me gênes !

— Mais pourquoi ? Je suis toujours le même Maurice ! J'étais si fier d'être ton grand ami ! Te souviens-tu quand tu étais toute petite, il y a cinq ans et que tu avais peur d'entendre aboyer notre gros chien, tu me prenais la main et tu t'y cachais la figure, en criant : « Maurice aie soin de moi j'ai trop peur de ton chien ! »

— J'étais un *baby* alors.

— Tu étais bien plus gentille que maintenant avec tes petits airs guindés.

— J'ai l'air guindé ?

— Non, non, pas guindé, mais comme si tu ne me connaissais plus !

— Ça me fait de la peine, parce que...

— Parce que ?

— Parce que je voudrais que tu me trouves encore gentille !

— Mais je te trouve parfaite moi ! C'est toi qui me traites mal ! va !

— Non, ce n'est pas vrai !

— Quoi ?

— Ce n'est pas vrai ! Ça *paraît* peut-être mal, mais au fond, va !

Il rit.

— C'est mieux au fond ?

— Oui.

— Tant mieux alors !

Pauvre petit journal abandonné — mais il faudrait des journées de quarante-huit heures pour pouvoir faire tout ce qu'il faut faire. *Thank goodness*, ça achève cette année de couvent ! Encore une autre, et une autre et ce sera tout.

Je vais au collège après souper avec M. Saint-Jacques et Jos, voir un beau feu d'artifice. J'y rencontrerai peut-être Maurice, la soirée est belle, chaude et claire.

2 juillet
(Avant le déjeuner)

Nous sommes revenus tard hier soir, tout près de onze heures. La bonne et belle soirée — je vais vite la raconter avant de partir pour la classe.

Maurice laissa ses compagnons et vint nous retrouver sur l'escalier de la cour de récréation. M. Saint-Jacques causa tout le temps avec M. Ouellette, Jos avec un jeune prêtre que je ne connais pas. Maurice s'assit à mes pieds et nous avons eu deux belles heures de causerie — d'abord ce fut comme d'habitude — j'étais dinde ! mais je ne sais comment Maurice s'y prit, au bout d'une heure je *jasais* comme aux plus beaux jours de ma bavarde enfance. — Nous avons parlé de son départ et j'avais envie de pleurer — mais il n'a pu s'en apercevoir —, du collège, du couvent, des vacances. Il n'était pas gai. J'avais des roses sauvages — il en prit une.

— Nous allons l'effeuiller comme on fait les marguerites, pour savoir si tu l'aimes, et comment ?

— Si j'aime *qui* ?

— Je ne sais pas, moi, celui que tu aimes mieux.

— Je n'ai pas besoin d'effeuiller ma pauvre petite rose pour le savoir !

— Tu le sais, dis-le-moi ?

— Tu le sais bien, dis-je en affectant un ton grave, que c'est le bon Dieu qu'il faut aimer le plus !

Nous avons bien ri et je l'ai grondé d'avoir effeuillé ma rose pour rien.

Ensuite parlant de son départ il a dit comme c'est long trois ans et que cela lui coûtait beaucoup de partir... qu'il allait s'ennuyer beaucoup de moi.

— Vrai, vrai !

— Mais oui, de toi qui as l'air si surprise, que tu ne t'ennuieras pas beaucoup j'ai peur.

— Ne dis pas de choses laides, Maurice, ni de mensonges !

— Tu penseras souvent à moi alors ?

— Oui et je trouverai cela encore plus triste quand tu seras parti.

— Encore plus triste, tu es donc triste, ma petite Henriette, conte-moi cela veux-tu ?

— Je n'ai rien à conter, c'est triste partout parce que

— Oh ! ce parce que, ce serait la fin de toutes tes phrases si je te laissais faire — parce que quoi ?

— Parce que je ne suis pas comme les autres peut-être !

Mais je vois toutes les petites filles rire, s'amuser, tous les jours, toutes les journées, et moi je suis si contente quand j'ai pu être gaie comme les autres que je l'écris pour m'en souvenir.

— Qu'est-ce qui t'empêche d'être gaie ?

— Je ne puis pas te le dire.

— Ce sera pour un autre soir, ma petite chérie. Il faut chasser toute la tristesse à présent et bien jouir de notre belle soirée.

Et il fit si bien, me conta des histoires si drôles que je ris et finis par dire des folies.

Comme c'était bon et comme il est bien mon vrai grand ami, le seul au monde qui puisse me faire lui dire ce qu'il veut.

Le soir —

Il est neuf heures — avant d'allumer ma lampe j'ai passé une demi-heure assise *sur* ma fenêtre — j'entendais le piano de Jos, mais ce n'est pas elle qui jouait. C'était mieux... Je suppose que c'est M. Broderick, un des camarades de Maurice qui devait dîner là ce soir. Maintenant tout est silencieux — Maurice est allé le reconduire au collège je suppose.

Que le ciel est beau ce soir — je suis heureuse, heureuse — j'aime les étoiles, j'aime tout !

Distribution des prix et enfin en vacances! J'ai eu plusieurs prix et Maurice les porta!! Par quel hasard? Un orage le fit venir au-devant de Jos avec des parapluies — il en donna un à Jos, s'empara de mes prix et m'invita à partager l'autre. C'était très gai malgré le déluge...

Ce soir, Augustine, Marie, Adine et Céphise[19] sont à la maison, elles prendront le train demain matin seulement.

Elles sont toutes en prières, moi j'écris parce qu'il faut que je dise comme je me sens heureuse ce soir, je ne sais pas pourquoi, il me semble que j'étoufferai si je ne le dis pas, et il n'y a que toi, mon petit cahier!

Je me demande comment je me sentirais si j'avais toujours, tout près, quelqu'un à qui je dirais mes petits chagrins, mes colères, mes joies, ce que je trouve laid et que je trouve beau, ce que j'aime et ce que je ne puis souffrir. Comme je serais bien, mais cela ne sera jamais, jamais! Parce que les quelqu'uns, ça a des yeux, et quand des yeux me regardent je n'ai plus rien à dire!

7 juillet

Oui, les mamans, les vraies, ça doit être le quelqu'un dont je rêvais hier soir — alors, c'est fini, je puis me

19. Céphise Dorion; Augustine et Adine Bourassa, filles de Napoléon Bourassa et d'Azélie Papineau; Marie Papineau, fille d'Auguste-Cyrille Papineau et de Marie-Louise Trudeau. Elles étaient pensionnaires au couvent de Lorette.

fermer le cœur avec tout ce qu'il y a dedans, parce que la maman que j'ai, moi, je l'ennuie — elle me parle à peine, je sens que je suis dans son chemin, comme un petit embarras! Sa froideur peut-elle dépendre de moi? — j'ai bien des défauts, je sais, et si je ressens profondément, je suis timide et réservée et je le laisse peu voir! Elle ne sait peut-être pas comme je voudrais qu'elle m'aime un peu. Oh! je voudrais, cet été, être gentille et affectueuse pour elle... mais j'ai peur — et quand j'ai fait une avance qui a été repoussée, je me sens toute meurtrie, comme si on avait marché sur mon cœur... un cœur sur lequel on marche, il est écrasé, replié, froissé et il reste là sans courage, lâche, prêt à se sauver et à se cacher pour éviter qu'on l'écrase encore.

J'étais si heureuse ces jours derniers!!

8 juillet

Jos a passé l'après-midi avec moi sous les pins. Nous faisions de la dentelle et j'avais du plaisir à écouter Jos faisant de beaux projets pour plus tard quand elle sera sortie du couvent. Pour elle c'est bientôt — elle a déjà dix-sept ans...

Elle aime qu'on l'admire mais ne veut jamais aimer personne, prétend-elle, afin de ne pas avoir trop de peine. Je ne lui ai pas dit ce que je sens au fond, c'est que ce serait bien plus triste de ne pas aimer et de ne pas se faire aimer!

Comme nous nous ressemblons peu! Je la crois bien plus intelligente que moi, mais comme elle est froide, ne semblant aimer personne, ni ses parents, ni ses amies. Elle rirait si je lui disais que pour moi l'amour de tout ce qui est bon, beau, vrai, c'est la vie, et que si je ne me sentais capable d'aimer ainsi, sans mesure, j'aimerais mieux être morte.

Mais non, dans nos causeries, elle me *défile* ses idées, et au lieu de lui dire les miennes je la contredis et nous discutons mais jamais sur ce qui me tient au fond de l'âme, car il me semble que si une fois elle riait de moi je ne pourrais plus la traiter en amie. J'aurais peur de ses moqueries.

Cette petite après-midi m'a distraite et je me sens bien disposée à essayer d'être bonne ici !

9 juillet

Je suis furieuse contre moi-même — j'ai passé la soirée chez madame B., où j'ai vu Maurice. J'ai été vilaine avec lui — un méchant démon en moi qui m'a portée à le taquiner, à rire quand il paraissait sérieux et même triste. Pourquoi, je n'en sais rien et je ne me pardonne pas, surtout ici, dans ma chambre, où je revois ses yeux un peu sévères quand il vit qu'il n'y avait pas moyen de tirer un mot de bon sens de moi, pauvre petite Caprice !

Dimanche 11 juillet

En revenant de la messe j'offris à Jos de faire des visites de l'autre côté de la rivière — chez

Blanche, les Henshaw, Anna[20]; il fut décidé qu'Arthur[21] nous y conduirait en voiture et il eut la jolie idée d'inviter Maurice. Après les visites nous allâmes faire une promenade très loin jusqu'au souper... nous avons causé et ri tous les quatre ensemble, et en nous séparant Jos nous demanda d'aller passer la soirée chez elle. J'y allai donc avec Alice et Arthur.

La bonne soirée. Je n'avais plus de petit diable taquin dans le cœur. Maurice n'avait pas son air de «Sage» qui me provoque toujours à être un peu méchante. Nous avons causé tout simplement, tout *uniment*. Tout était clair comme je l'aime et je me sentais si joyeuse et si à l'aise que j'ai eu l'idée que j'avais en moi deux cœurs au lieu d'un!

Il paraît que la Célina bleue du bazar est à Saint-Hyacinthe. Maurice me l'a annoncé et j'ai béni le Seigneur que même avec *tous* ses yeux, il ne puisse pénétrer dans le secret de *mes* cœurs, et y voir le stupide petit sentiment de jalousie qu'elle m'inspira l'hiver dernier parce qu'elle a vingt ans, des cheveux blonds et qu'elle est si jolie! Je mourrais de honte si Maurice pouvait même s'en douter!

Je serai aimable avec elle si je la rencontre, et cela ne sera pas difficile, car... je ne *puis* dire car quoi!

---

20. Blanche Sicotte (née en 1860), fille de Louis-Victor Sicotte et Marguerite-Émilie Starnes. La famille Henshaw habitait sur la rive sud de la rivière Yamaska, à Notre-Dame, non loin de Saint-Hyacinthe. Anna Delorme (née en 1861), fille de Louis Delorme et de Julie Anna Fortier.

21. Frère aîné d'Henriette Dessaulles, né le 12 mai 1858.

J'ai horreur de moi parce que j'ai menti... oui menti, n'est-ce pas la pire des misères ? J'ai si honte ! Amélie Laframboise est arrivée ce matin. Je fis *semblant* de vouloir partager ma chambre avec elle, mais Alice, à qui j'avais fait la leçon, insista pour garder Amélie avec elle. Je cédai *généreusement* — et voilà ! je me méprise pour toute cette comédie.

Bon Dieu, je suis arrivée à mentir ! Je n'ai plus même de plaisir à être seule dans ma chambre, après avoir tant fait pour garder ma solitude... Je n'y suis pas seule d'ailleurs, tous les *petits* mensonges de ma *petite* comédie sont nichés dans tous les coins, me narguant et me donnant envie de pleurer.

C'est comme cela quand on ne sait plus bien prier — mes prières sont laides ! Je les dis sans y penser, sans l'aimer, le grand bon Dieu qui ne m'écrase pas comme je le ferais si j'étais Lui !

Mardi 13 juillet

Tous les mardis des vacances maman recevra mes amies et amis et je la trouve bien bonne de s'occuper ainsi de nous amuser. Ce fut gai ce soir mais je suis plus fatiguée que je ne le croyais en prenant mon cahier — ce sera pour demain ce récit.

14 juillet

Il est six heures, je suis « sous les pins » et tout est si frais, si gracieux, si parfumé que je n'ai pas trop de tous mes cœurs pour jouir de ce qui m'entoure. Que c'est beau tout! Le ciel et les arbres et les fleurs et toutes ces couleurs du ciel et de la terre qui s'harmonisent dans ce grand tableau où j'ai ma petite place, me sentant tant vivante au milieu de tous ces bruits charmants et de tous ces parfums si doux! Mon Dieu, c'est ici que je prie bien — il n'y a ni routine ni indifférence dans l'élan qui me porte vers vous pour vous remercier d'avoir tout créé, et moi aussi, pauvre petite dans ce grand monde si beau.

J'étais venue ici pour parler d'hier soir – – mais mes impressions d'hier soir sont effacées par la grande émotion de ce matin, je me sens si près de Dieu ce matin que nos jeux et nos conversations d'hier soir ne me paraissent que de la fumée qui s'en va.

15 juillet

Une longue visite au couvent. Nous avons vu Sainte-Cécile charmante à son ordinaire, Saint-Amon, exagérée dans ses recommandations contre les amusements, mais bonne et sincèrement affectueuse, Sœur du Précieux-Sang fine, moqueuse, peu sympathique, toutes les autres un peu plus ou un peu moins aimables suivant leur humeur et leurs capacités.

En revenant, j'étais chez Jos à me rafraîchir avec un verre de limonade. Maurice entra, vint me regarder dans les yeux, ce qui me fit rougir je ne sais pourquoi : « C'est pour voir de quel côté souffle le vent aujourd'hui...» Il me trouve capricieuse je suppose. C'est vrai mais pourquoi s'amuse-t-il à trouver mes défauts ? Je suis bien prête moi à l'orner de toutes les qualités possibles et impossibles !

Après cette douteuse petite question il a été fort gentil, mais moi je suis restée... figée. Que je suis sotte de tant m'occuper de son opinion !

16 juillet

Mon cousin Gustave est ici — autrefois j'aimais beaucoup à le voir, et à présent il m'ennuie... et... m'embrouille ! C'est même probablement parce qu'il m'embrouille qu'il m'ennuie ??

Je ne sais trop comment exprimer tout cela... c'est mieux de l'illustrer : Voilà ! Avant souper nous étions «sous les pins», Fanny était dans la balançoire et j'étais près d'elle afin de la faire balancer. Des fleurs que j'avais à mon corsage sont tombées, il s'est *précipité* pour les ramasser, les a embrassées et mises dans sa poche.

C'était trop ridicule ! Je ris — il me roula des yeux, et j'eus beau faire il garda un petit air... bête. Il ne l'est pas pourtant ! Eh bien, à propos de tout, il est comme cela, et cela me fait mourir de rire ou m'enrage, mais même quand je ris je ne trouve pas cela amusant.

Nous allons ce soir chez Mme Saint-Jacques à notre réunion du jeudi, je suis montée mettre une petite robe de mousseline jolie comme tout, et je suis toute fière de ma mine ce soir ! Je ne sais pas pourquoi il ne faut pas dire ou penser qu'on se trouve gentille. Je ne me suis pas faite, et ça crève les yeux que je suis gentille.

Bon, il faut partir et je suis en bonne disposition pour bien m'amuser.

17 juillet

Il n'est pas tard, à peine six heures, et mon premier regard a été pour mes chers rayons de soleil! Hélas! tout est sombre, il pleut et je ne puis descendre au jardin. J'aurais dû être une fleur ou un oiseau, plutôt un oiseau à cause des ailes! Je ne suis heureuse qu'à l'air, là où je ne suis arrêtée par aucun mur.

Je suis tout simplement une petite fille qui ne regrettait pas d'avoir autre chose qu'un cœur d'oiseau en elle hier soir! J'ai passé toute une heure à causer avec Maurice, qui a certainement un grand talent pour questionner et se faire répondre.

Hier je le *sentais* me regarder toute la soirée, même quand j'étais très loin de lui. Cela me gêne... en même temps j'aime cela... je l'observe de mon côté. J'ai des yeux pour m'en servir aussi, moi! Qu'il a l'air froid, calme et fin. Est-il si froid et si calme que cela?... il se pourrait que non: «*Still waters run deep.*» En verrais-je le fond?

22 juillet

Belle promenade en voiture avec Jos, H. L. et Maurice. Il était très gai et très amusant. Je ne lui ai pas parlé seule, depuis le *17*. Il me semble que j'ai un monde de choses à lui dire, mais il me semble des mensonges, et je sais bien que je ne trouverais plus rien de tout ce «monde de choses» s'il me regardait avec son air sérieusement intéressé.

27 juillet

Nos réunions continuent deux fois la semaine, nous nous amusons bien... pourtant hier soir je n'ai pas été «à l'aise» avec Maurice... très timide, gauche — il m'a presque dit que je ne l'aimais pas. Je n'ai pas protesté — je l'aime bien pourtant! Mais je suis sotte et il me gêne terriblement!

Pourquoi aussi parle-t-il de notre amitié — il y a d'autres sujets, sinon plus intéressants, plus faciles!! Ces points représentent mes soupirs! Je voudrais bien être un oiseau! Ils font aller leur petite tête à droite à gauche, ils turlutent, et ils ne sont jamais obligés de parler avec les oiseaux gênants, c'est-à-dire avec ceux qui les intimident!

30 juillet

L'amitié – – l'amour — ce sont deux mots — sont-ce deux choses? Les deux veulent dire aimer quelqu'un. J'aime Maurice c'est bien certain — est-ce de l'amitié ou de l'amour? Pour répondre il faudrait connaître la différence entre les deux. Je n'ai jamais entendu parler de l'amitié de Dieu — ce n'est pas assez fort! L'amour, alors, c'est le plus! Je l'aime le plus... et je suis une petite folle parce que j'y pense beaucoup, que j'ai toujours hâte de le voir et quand je le vois, j'ai l'air aussi... bête que les statues de l'église !

Il ne semble pas me trouver si bête que ça, lui, et il a de bien jolis yeux et une chère voix douce qui continue à m'entrer dans le cœur.

31 juillet

Vilaine journée à la maison. Froideur, brusquerie, reproches pointus. Je n'en ai eu que de l'humeur, cela fait moins de mal que de la peine... et ça ménage les larmes !

Ce soir exercice de chant. Je croyais écrire très long et je n'ai plus rien à dire. C'est curieux cela !

Le soir

Je suis revenue du chant avec Maurice — le ciel était ravissant, tout pointillé d'étoiles — l'air était parfumé et grisant — tout était silencieux et un peu mystérieux. J'ai à peine parlé. Je ne le pouvais, mon cœur était rempli à déborder de tout mon chagrin de la journée, de mon bonheur de ce soir, et si j'avais prononcé dix mots, j'aurais pleuré de belles larmes vraies ! Maurice a-t-il deviné tout cela, ou une partie de ce tout ? Il parla peu, aussi, mais de sa voix douce douce et il m'a dit «bonsoir, ma petite Henriette» si tendrement, que la petite phrase aimante vibre dans mon cœur et me dit qu'il l'aime bien *sa* petite Henriette.

Je viens de faire ma prière dans ma fenêtre — j'ai bien prié, et j'ai demandé pardon au bon Dieu de ma petitesse et de mon égoïsme. Comme je m'occupe de moi, comme j'étudie et critique tout ce qui n'est pas parfait chez les autres! Pauvre mère, si occupée, si ennuyée et si fatiguée parfois, avec cette grande maison à conduire, les *babies* si criards, les domestiques difficiles, et moi? souvent peu aimable... et si elle montre un peu d'humeur, je la critique, je me plains, je me pose en victime! Vilaine égoïste, va! Va, file ta petite vie frivole et gaie, je te défie bien de savoir te dévouer comme celle que tu oses blâmer!

Mon bon Dieu, que je suis petite et laide, aide-moi à avoir un grand cœur et un grand esprit, rien de si petit que je suis et qui ferait pitié à ceux qui sauraient!

Lundi 2 août

Comment rassembler mes idées dans ma pauvre tête pour écrire ce soir — je ne sais plus penser — tout est chaos et souffrance en moi. — Ce matin maman m'appela dans sa chambre — elle avait l'air si triste que je fus émue de suite en l'apercevant. Puis [...][22] ses sanglots. Enfin elle me dit le terrible secret — et c'est mon père, mon bon, mon parfait aimé qui portera encore tout le poids de cette faute de mon

---

22. Au bas du feuillet, une bande de largeur irrégulière a été déchirée et enlevée, dérobant deux ou trois lignes d'écriture au recto et au verso.

pauvre oncle[23] ! Le déshonneur ! c'est cela qui est bien plus affreux que la ruine — et que ce soit le plus loyal, le plus honnête, le plus estimable qui porte ce fardeau ! est-ce bien juste mon Dieu !

Je ne puis l'écrire la triste chose, je ne puis en dire les mots. Cela me fait mal, me brise toute !

Pauvre père, il fait pitié, si pâle et courbé sous cette injustice du sort ! Mon Dieu, aide-le, tu sais bien que personne n'est plus digne de ton secours et de ta grâce. Aide-le, il le faut [...]

Ce soir je voulais refuser une promenade en voiture avec Jos, mais maman préféra nous y envoyer. J'avais le cœur malade – – demain peut-être, notre malheur sera public, notre malheur et notre honte ! Bonté divine, on aura le droit de nous mépriser !

Maurice me ramena jusqu'à la barrière du jardin. Il prit mes mains dans les siennes.

— Ma petite chérie, tu es triste, et je suis malheureux de te voir triste. Peux-tu me dire ce que tu as ? Puis-je faire quelque chose pour toi ?... tu sais bien que rien ne me coûterait pour t'aider un peu !

— Personne ne peut m'aider... et tu sauras demain.

Et de grosses larmes roulaient sur mes joues. Il me regardait si tendrement que mon cœur saignait à l'idée que demain peut-être, il rougirait... de nous.

---

23. Louis-Antoine Dessaulles (1818-1895), frère aîné de Georges-Casimir, fut maire de Saint-Hyacinthe, député de Rougemont à l'Assemblée législative et président de l'Institut canadien ; en 1875, il était greffier de la Couronne à Montréal. Le 1er août 1875, il s'enfuit aux États-Unis pour échapper à ses créanciers et à la prison ; il demeura en exil, en Belgique puis en France, jusqu'à sa mort.

Cette vilaine pensée ne fut qu'un éclair — j'ai foi en son amitié.

— Tu ne veux donc rien me dire, à moi, ton grand ami, qui t'aime tant !

Je secouai la tête...

— Pauvre petite chérie !

Et il embrassa mes mains.

Et je montai — et j'ai pleuré encore sans pouvoir m'arrêter.

Pauvre père chéri ! Et ma tante et Caroline. C'est pire que la mort ce malheur qui leur arrive !

La mort ce n'est pas le mal, c'est la fin du mal, c'est le repos — c'est la grande paix jamais troublée. Je n'aurais pas peur de la mort, moi ! Pour moi, j'entends !

3 août

J'ai passé une nuit affreuse ! de la fièvre, des cauche-mars, je me suis levée brisée et triste comme je ne l'ai jamais été ! J'ai écrit la fatale chose à Jos — je n'aurais jamais le courage de le lui dire. Elle vint de suite toute sympathique et tendre. Son amitié m'a fait du bien et sa foi.

C'est bien vrai que rien n'arrive sans la permis-sion de Dieu, qu'Il prévoit tout et qu'Il *veut* notre bien toujours. Il faudrait plus le croire pour mieux accepter !

Merci, chère petite Jos, tu m'as relevée de terre. Je serai courageuse pour aider mes pauvres aimés qui souffrent bien plus que moi. Pauvre père chéri ! Tant

l'aimer et ne pouvoir rien rien pour lui. Vouloir donner sa vie pour lui épargner cette souffrance et ne
pas même pouvoir le lui dire!

10 août

Bien des jours sans écrire. Je me suis occupé le corps
et l'esprit. J'ai essayé d'être bonne, et de faire du bien
à mes chers affligés — j'ai été *heureuse* — oui vraiment, je ne me trompe pas, heureuse de me sentir
plus près de Dieu en étant plus à mon devoir. Et puis
je me sentais utile, j'amusais les enfants, je babillais
à table pour les faire sourire, et quand dans la maison tout était trop tranquille, qu'on respirait la tristesse dans l'air, je me promenais en turlutant
quelque chose de gai et je me «mettais un peu en
l'air» pour dire des drôleries. Cela me faisait un singulier effet, comme si je devenais «une autre», et
j'avais un grand soupir de soulagement quand je
revenais dans ma chambre et que je pouvais être
tout simplement une petite fille fatiguée de jouer la
comédie!

Je parle au passé, mais je continue cette singulière chose, de faire du bien en faisant le singe!

Le même soir

J'étais perchée sur la clôture du jardin causant avec
Jos, quand Maurice vint avec une singulière petite
bête qu'il voulait nous faire voir au microscope. Je ne
sais comment mais il me fit au doigt, avec son

instrument, une légère égratignure — Il fit une exclamation, se pencha vivement, embrassa mon doigt (comme on fait aux *babies*).

— Maurice! — fis-je toute surprise.

— Ne me gronde pas!

— Je n'y songe pas, j'ai été surprise tout simplement.

Il me regarda dans les yeux.

— Tu ne m'en veux pas alors?

— De m'avoir égratignée, ah non! — dis-je en riant.

— Non, de

— De m'avoir guérie, comme un bébé? encore moins!

Jos nous examinait curieusement. Je trouvais Maurice amusant avec son air intimidé, et il me passa dans l'espace d'une seconde dix idées drôles dans la tête.

— Cela ne m'a pas impressionnée de me faire embrasser le bout du doigt.

Je suppose que Maurice croyait que j'allais m'objecter à ce drôle de petit baiser!

— Pourquoi?

— Nous avons l'air de trois personnes embrouillées.

Et etc. dans le même genre. Je pensais très vite et j'aurais voulu *voir* ce que Maurice pensait.

Je ne bougeais plus sur mon poteau. Enfin je sortis de moi et je sautai en bas.

— Bonsoir le monde, je pars.

Maurice sauta par-dessus la clôture en un clin d'œil.

— Faisons le grand tour par le jardin, dit-il.

Je permis en inclinant la tête.

— Tu es la plus drôle de petite personne que je connaisse !

Je le regardai étonnée, avec mes plus grands yeux.

— C'est moi qui suis drôle ?

J'étais stupéfaite, j'avais si bien pensé que c'étaient eux les *drôles* !

— Oui, dit-il convaincu, la plus drôle, la plus amusante et la plus délicieuse. Et je t'aime !

Je ne répondis pas.

— Tu ne m'aimes pas, toi ?

Je ne dis rien.

— Méchante va, pourquoi me faire de la peine ?

— Pourquoi en as-tu ?

— Parce que je vois bien que tu ne m'aimes pas.

— Si c'est *ça* que tu vois, tu n'es pas fin, voilà tout !

Il rit.

Nous étions à la porte, je lui dis bonsoir et je montai les marches en courant, le cœur tout léger, tout en joie de l'avoir entendu dire qu'il m'aime. Le joli mot *aimer*, c'est doux, c'est caressant, c'est comme un mot de velours !

1er septembre

Vingt jours sans écrire ! À quoi bon ? Je suis malade, ou triste, enfin, pas du tout comme je devrais pour être à l'aise. Le départ de Maurice approche, Jos entre pensionnaire et je serai bien seule et bien à plaindre !

88

Je reprends mon Journal, le confident fidèle de mes lamentations.

Je n'ai rien à lui dire pour aujourd'hui — je me suis étendue dans une chaise longue sous les pins, sans un ouvrage, sans un livre et je faisais semblant de dormir quand on approchait de moi.

Ce n'est pas beau tout cela! Je ne le dis pas pour m'admirer non plus, ni pour me blâmer d'ailleurs, je ne pouvais faire autrement.

Ce soir, nous avons une petite soirée chez Jos. Il faudrait décidément que j'aie un autre air ou Maurice me trouvera maussade.

2 septembre

Notre dernière soirée des vacances — nous étions nombreux — il faisait chaud, les portes étaient ouvertes et nous pouvions aller sur la galerie. Maurice m'y amena — Après m'avoir dit comme il était triste de partir et qu'il m'aime et qu'il souffrira tant de notre séparation :

— Tu ne m'as jamais jamais dit que tu m'aimes, toi !

— Et tu ne vois pas que je t'aime, autant que Jos, autant qu'Arthur ?

— Pas plus !

Il avait un petit ton désappointé.

— Mais c'est beaucoup beaucoup cela !

— Le plus que tu peux ?

— Oui.

— Alors je dois être bien bien heureux et il faut me promettre de l'avancement ! (un petit silence)

— Plus que les autres, tu voudrais ?

— Oui, plus que tout le monde ! Comme je t'aime moi !

Je ne répondis pas — je cherchais à voir dans moi.

— Alors, reprit-il, d'une voix si douce si douce, ce n'est pas possible ?

— Je ne sais pas, moi !

Et j'eus le cœur tout serré et une grande envie de pleurer. Mais quelqu'un vint nous rejoindre et je ne l'ai plus vu seul. Plus que tout le monde, plus que Papa, que Jos, Alice, Arthur !... impossible ? Non pas impossible... mais... je vais me coucher, je suis si fatiguée !

5 septembre

C'est peut-être la dernière fois que j'ai vu Maurice tout seul. J'aurais voulu l'*aider* car il paraissait triste, et j'aurais voulu lui dire tant de choses que j'avais pensé lui dire avant son départ. Mais je ne pouvais pas. Ce fut lui qui parla, qui fut bon, qui me dit de douces choses, trop, car je craignais de pleurer. Il me dit que ses lettres à Jos seraient pour ses deux petites sœurs, que puisque je l'aime comme j'aime Jos je suis sa petite sœur, qu'il peut donc m'écrire et moi écrire un petit mot au crayon au bout des lettres de Jos.

Pourquoi essayer d'écrire tout ce qu'il me dit d'aimant, de bon, de délicat et d'encourageant. Il me dit, entre autres choses, que je me fais peut-être trop facilement de la peine, que chacun est bon à sa façon qui n'est pas toujours la nôtre. Que maman est très bonne et qu'elle doit m'aimer beaucoup «parce que personne vivant avec toi, ma petite Henriette, ne peut s'empêcher de t'aimer» (en voilà une raison!). Alors, il faut la prendre comme elle est, et ne pas demander aux arbres de chanter, être contente qu'ils donnent de l'ombre et soient beaux pour les yeux, etc.

Il faut donc que je sois *raisonnable*, et d'après tes conseils, chère Sagesse. Je ne lui ai pourtant pas conté mes petits chagrins, ni à personne. Il devine parce qu'il la connaît bien sa petite amie!

7 septembre

Jos est entrée ce soir — Ne pouvait-on la garder demi-pensionnaire comme moi? Arthur part demain – – – Maurice, dans quelques jours! C'est inutile d'essayer d'écrire sensément, je ne sais plus penser! Pauvre petite moi!

Et le bon Dieu? J'y pense à peine — je me force à prier et mes prières ne valent rien. Toutes les tristesses alors!

Je suis allée reconduire Jos et je revins avec Maurice. Alice nous abandonna en route pour marcher plus vite. Nous savions bien que c'est la dernière fois que nous nous verrons seuls, et c'était si triste!

À la barrière: «Veux-tu me laisser t'embrasser, ma petite cherie?» Je penchai la tête, il m'embrassa sur le front — j'aurais voulu pleurer là sur son épaule et soulager enfin ce pauvre petit cœur angoissé que je porte en moi depuis tant de jours! Mais non, il faut toujours être brave et ne pas montrer son chagrin. Il me lit assez pour savoir comme j'en ai de la peine quoique je ne sois pas certaine de l'aimer plus que tout au monde!

La rentrée — j'avais peur que la journée ne finisse plus! Jos était triste — elle avait dû pleurer, elle avait les yeux rougis. Moi j'avais beaucoup pleuré mais je n'avais pas les yeux rougis. Il ne faut jamais, jamais qu'on voie mes larmes et surtout pourquoi je pleure!

Je pense à hier soir – – – il m'a embrassée – – que dirait M. Prince?... Il tonnerait! Pourquoi?... Moi j'ai voulu parce que Maurice me le demandait, il avait de la peine, je n'aurais pas voulu lui en faire plus — surtout en lui refusant une si petite chose.

Quant à moi, vrai, entre me faire embrasser par lui et me faire dire très doucement qu'il m'aime, j'aime mieux entendre qu'il m'aime. Et puis, puisque cela ne se fait pas, de se laisser embrasser par un homme, je ne le permettrais pas souvent à Maurice. Au fait, je pense à tout cela ce soir, mais hier cela a été plus simple — il m'a priée et j'ai dit oui parce que j'aurais souffert de lui résister. C'est tout. Et que le bon Dieu et tous ses anges nous aient vus, cela ne me gêne ni vis-à-vis d'eux, ni vis-à-vis de moi-même!

Meilleure journée — leçon de musique charmante. Étrange coïncidence — «à quel numéro des *Études* étions-nous aux vacances ? » — *17* — et *17* c'est *L'Adieu*, de Mozart. Cela m'aidera, de le jouer mon adieu, et avec Mozart il ne sera pas poignant. Il me met toujours du calme dans le cœur celui-là !

Les élèves allaient au bois, j'étais fatiguée et j'avais pensé revenir à la maison, mais pauvre petite Jos supplia pour que je l'accompagne. Nous avons causé d'elle et je n'ai pas essayé seulement de lui faire deviner ma tristesse. À quoi bon, *dire* ?

En revenant, je montai en courant les deux escaliers, et je m'arrêtai stupéfaite, absolument pétrifiée en apercevant Maurice et Arthur dans ma chambre ! Le beau Arthur lui faisait voir notre domaine à tous deux. Il trouva ma chambre très grande avec ses trois fenêtres, et fraîche et gracieuse — «juste la chambre qui *vous* convient». Ce fut un instant seulement, il me serra la main et ce fut tout.

Le soir

Après dîner, au moment d'entrer dans ma chambre, j'ai fermé les yeux bien serrés, puis rendue dans ma chambre je les ai ouverts, essayant de voir Maurice comme tantôt... Pas de Maurice ! Je suis toute seule, mais je ne suis pas triste — j'ai passé longtemps dans la fenêtre à voir les étoiles s'allumer en haut. J'ai rêvé bien doucement, bien vaguement aussi — je n'ai rien désiré, rien regretté, je trouvais cela bon de *vivre*.

Gustave arrive demain pour passer deux jours ici. Maman aurait bien dû ne pas l'inviter — je ne puis le dire comme cela m'ennuie de le recevoir — cela veut dire de lui parler, d'être aimable, occupée de lui et Bonté! que je suis fatiguée!

Samedi 11 septembre

En revenant du couvent, je rencontre Maurice qui vient me reconduire et m'annonce que Gustave est déjà arrivé. J'ai fait la moue.

«Cela nous procurera peut-être une soirée encore», dit Maurice pour m'encourager. Puis il me rappela m'avoir déjà dit que Gustave paraissait beaucoup m'aimer, et il me demanda si je le croyais.

«C'est bien possible, dis-je en soupirant, plus il m'aime plus cela m'ennuie puisque je ne l'aime pas de reste, moi!»

Le voilà qui monte, ce grand Gustave. Je ne veux pas qu'il entre dans ma chambre, je cours le

Le soir

J'ai dit que j'étais fatiguée, afin de monter à bonne heure et abréger ainsi la soirée. Ce n'est pas un mensonge, je suis absolument épuisée, agitée, fâchée, si près des larmes que je ne pourrai peut-être pas écrire. Et pourquoi *tout*?

Non, je ne pourrai pas l'écrire ce soir; les grosses larmes roulent et m'aveuglent, et puis pourquoi m'en souvenir de cet ennui ? Non, je ne l'aime pas, pas du tout, et je le lui ai dit, et je ne veux pas qu'il me parle comme ce soir et je le lui ai défendu !...

Et je ne lui permets pas de me toucher le bout des doigts, et j'aime mieux ne plus le voir avec ses grands yeux flamboyants et tristes qui me font de la peine quoique je le déteste ce soir !

Et j'en ai pour deux jours à le voir ici ! — je veux dormir et n'y plus penser et penser seulement à Maurice que je ne verrai peut-être plus d'ici long-temps, longtemps !

12 septembre

Le cauchemar continue — ses yeux me suivent par-tout — il me parle doucement malgré mes rudesses — il me suit et me pèse ! Je voudrais me sauver n'importe où, et me cacher d'ici son départ. Si maman l'avait laissé chez lui !

Il a osé me parler de Maurice, de son départ pro-chain, il pense que cela me fait de la peine... « entre voisins »... — J'ai répondu d'aplomb que cela me faisait de la peine parce que Maurice est mon meil-leur ami. Puis tout mon courage m'abandonnant après cette énergique déclaration, je filai au piano me sentant rougir jusqu'à la racine des cheveux.

Il me suivit et se penchant tout près :

— Tu l'aimes, Maurice ?

Je me retournai, exaspérée.

— Cette question ! Puisque je viens de te dire que c'est mon meilleur ami !

Je terminai par un haussement d'épaules expressif. — Il s'assit près du piano et fit mine de prendre ma main, je les mis résolument derrière moi.

— Veux-tu faire la paix, ma petite cousine ? Je te promets de ne plus t'ennuyer — je n'aurais pas dû te faire cet aveu... c'était trop tôt, mais il y a si longtemps que... (je fis un mouvement) enfin, essaie d'oublier tout cela, je ne le pourrai pas, moi, et je ne te demande que d'être un peu bonne, de me traiter comme un vieil ami qui ne compte pas, mais comme un ami, pas comme... comme si tu me détestais ! Veux-tu, Henriette ?

J'inclinai la tête et je me mis à jouer sans le regarder — mais je savais bien avec quelle expression il me regardait et j'ai terriblement pitié des gens qui ont l'air de souffrir. Je ne suis pas méchante et je ne le déteste pas, mais je voudrais ne plus jamais le voir !

13 septembre

Maurice part ce soir – – Que je voudrais donc être endormie et me reposer. Il pleut — il fait un peu froid... je voudrais avoir une mère qui me prendrait dans ses bras, qui me caresserait, qui m'aiderait !

14 septembre

Journée nulle — ça ne vaut pas la peine d'en parler. J'ouvre mon cahier comme si j'allais trouver du bon dedans. C'est une illusion ! Je n'ai rien à dire. Une masse de leçons à préparer mais pas d'intelligence

pour le faire. Oh! lâche! lâche! Amollie que je suis!
Ne m'aideras-tu pas, mon Dieu, à être autre chose
qu'une cire fondue?

C'est ridicule et dès ce soir il faudrait changer. Je
me donne jusqu'à demain et puis – – il faudra marcher coûte que coûte!

15 septembre

Commencement de la réforme — c'est plus facile à
dire qu'à faire, mais avec de la volonté c'est faisable!
J'ai de l'ouvrage — mon travail en retard et celui de
ce soir. Je ne pense à rien, je veux faire ce que j'ai à
faire ce soir.

Quatre «faire» dans cinq lignes c'est beaucoup
de *façon*!

16 septembre

Conversation *intéressante* avec la directrice. Voilà à
peu près:

— Quand je vous envoyai au jardin lundi matin,
parce que vous paraissiez fatiguée, y êtes-vous allée?

— Mais oui.

— Y êtes-vous restée tout le temps?

— Non je suis...

Elle m'interrompit brusquement.

— C'est donc vrai, vous êtes allée à la gare au
départ des universitaires! Comment avez-vous pu
abuser ainsi de ma confiance? – –

Pendant qu'elle parlait je sentais mon indignation grandir mais je pris sur moi, je l'interrompis à mon tour pour dire aussi froidement que possible :

— Ce n'est pas vrai — ce sont des inventions indignes !

Et je tournai le dos pour partir. Elle me retint.

— Expliquez-moi, Henriette, où étiez-vous ?

— Pas à la gare certainement, fis-je ironiquement.

— Dites où, alors.

— Non.

— Il le faut ! Je le veux.

Je la regardai et je repris le chemin de la porte. Elle me suivit.

— Mon enfant, pourquoi cette révolte ? Répondez-moi.

— Vous m'avez insultée, je ne mérite pas qu'on me soupçonne d'une si vulgaire et laide chose !

Ma voix tremblait. Elle mit la main sur mon bras, je me reculai.

— Permettez-moi de partir, ma Sœur, je veux m'en aller.

— Dites-moi avant.

— Rien ! rien, je ne dis rien !

Et je partis émue et indignée d'une telle calomnie !

Si elle croit que je m'excuserai — que je lui dirai où j'étais — qu'elle s'arrange ! Me croire capable d'aller à la gare reconduire des jeunes gens ! Bête de vie ! Tout sert à réveiller les maux, autant la colère qu'autre chose ! Je vais travailler maintenant, *faire des vers* ! Misère !

Il fait triste — la pluie, un vent qui se plaint dehors, beaucoup de froideur et de contrainte à la maison. Et c'est congé, pas moyen de m'en sauver.

Comme je persiste dans ma réforme, je me suis occupée.

J'ai tout mis à l'ordre dans mon petit palais : tiroirs, livres, correspondance, musique.

J'ai travaillé, causé... un peu toute seule par moments, mais j'en faisais l'effort et j'ai bien mérité la petite heure de rêverie dans ma fenêtre ce soir où je suis venue à bout de me geler le corps et les idées !

Sagesse, tu me gronderais si tu savais ! Si tu m'avais vue dans la fenêtre ouverte, laissant la pluie me mouiller les cheveux et le vent me caresser si rudement.

Plus tard

J'ai travaillé mon piano. Que je voudrais jouer comme je rêve de jouer ! Je laisse mon piano, un peu, découragée et triste... c'est si peu *ça* !

18 septembre

Je suis encore toute bouleversée ! Je n'aime pas les questionneurs indiscrets surtout à confesse — ailleurs je les envoie promener !

Je suis très franche, je dis tous mes péchés, sans détours, sans excuses, sans atténuation et, je le crois, sans exagération, mais je ne reconnais pas au confesseur le droit de forcer mes confidences, et de me questionner au point de me faire avouer des choses qui ne sont pas des péchés. Cela me trouble, parce qu'il me fait une faute de ce qui n'en serait une que si je l'avais crue telle. Si j'avais osé j'aurais refusé de répondre — mais j'ai été intimidée.

Je suis inquiète et mal à l'aise à présent — je ne comprends pas bien ce qu'il m'a dit — c'est à propos de ce baiser que je n'aurais jamais songé à accuser même comme la plus légère faute! Le sens de ses paroles m'échappe: il a paru me croire très méchante et en grand danger... et puisque je ne parlais pas de ce baiser, «manquant de sens moral!»

Qui m'éclairera dans ces noirceurs? — eh bien, c'est moi toute seule: — je suis moi, j'ai une conscience, je réponds de moi devant Dieu seulement. Je me sens innocente des affreusetés dont il m'accuse, eh bien, je le suis. Je n'ai pas à m'inquiéter, ni à chercher. Arrangeons-nous avec le bon Dieu, ma petite âme, il voit assez loin et assez bien pour que rien ne lui échappe, nous n'avons pas peur même de son regard.

Je ris: Maurice, qui l'a eu comme professeur d'anglais, m'a déjà dit irrespectueusement: «C'est un vieux fou M. Prince!» J'ai protesté alors — je le laisserais bien dire ce soir!

Lundi 20 septembre

Ma parole, «Le monde vire à l'envers.» Je suis dans une époque d'épreuves et je n'ai jamais eu tant à

lutter contre l'indiscrétion, le bavardage et la vulga-
rité. Je ne lutte pas gentiment j'ai peur — tant mieux,
ma rudesse fera peur peut-être.

En sortant de classe, je vois la vieille Mlle P. qui
m'aborde en me faisant des démonstrations et des
mines. — Elle insiste pour m'amener goûter à son
gâteau — je suis un peu gourmande, je cède et je la
suis, très amusée de son bavardage tant qu'il est
question des autres !

Après m'être délectée de ses friandises, je me dis-
posais à filer :

— Dis donc, Henriette, t'occupes-tu encore de
Maurice ?

J'en sautai !

— Actuellement, mademoiselle, je m'occupe de
mes études.

— C'est qu'on m'a dit ces jours derniers que tu
aimais bien ton cousin Gustave Papineau et que le
départ de Maurice ne te faisait pas du tout de peine.
Pauvre Maurice, (ton larmoyant !) je l'ai connu tout
petit. Dis-moi, l'aimes-tu encore ?

— Ça vous intéresse beaucoup, mademoiselle ?

J'étais littéralement enragée !

— Oh ! beaucoup, fit-elle sans s'apercevoir que je
devenais dangereuse, (ton attendri !) je l'aime tant
Maurice, et j'ai toujours pensé que plus tard vos
amourettes finiraient par un mariage...

Je me levai.

— Bonsoir, Mademoiselle, je vais réfléchir à tout
cela et je vous donnerai une réponse quand j'aurai le
plaisir de vous revoir.

— Mais ma petite Henriette (disait-elle en me reconduisant), tu es fâchée ?

J'éclatai de rire.

— Oh ! non Mademoiselle — je suis ravie !

Et je dégringolai l'escalier.

21 septembre

Du nouveau… et pas beau ! Maman, à mon grand ahurissement, me parle de mon amitié pour Maurice et me dit que je suis, ou je serai peut-être tentée de recevoir ses lettres et de répondre et que ce serait de la dernière inconvenance ! (Ça c'est une phrase, rien qu'une phrase !) Elle insiste pour que je promette de ne pas lui écrire durant ces trois années d'université…

Il a bien fallu promettre, ou bien j'avouais une intention de lui écrire. Et les pauvres petits bouts au crayon, il faut y renoncer — et il faut avertir Maurice – – et il aura de la peine… moi encore, passe, je suis habituée, mais lui en faire à lui !

Demain la Saint-Maurice j'irai à la messe pour lui… en attendant qu'on m'interdise de prier pour lui !

23 septembre, 8 heures

La date – – l'heure — et puis quoi dire ? — je suis triste et seule, seule et triste dans ma chère chambre où tout est paisible et gracieux au moins !

Alice a ses amies, ses petits intérêts de classe et autres, différents des miens — elle est si enfant. Je l'aime bien, en petite maman, si elle s'ennuie, je me mets en frais pour l'amuser, et si elle le désire, je l'aide pour ses leçons, je n'en reste pas moins une petite solitaire, perchée très haut! Je suis malade de cette éternelle solitude, je suis trop orgueilleuse pour prier les gens de s'occuper de moi, et trop... affectueuse pour ne pas mourir si cela continue!

Mourir! encore une phrase, tu ne mourras pas, et tu le sais bien. Je me déteste quand j'exagère ainsi!

24 septembre

Louise a chanté ce soir... c'était si bon de l'entendre — je n'ai pu préparer mes leçons et je suis restée dans l'escalier noir, roulée dans un grand tricot doux doux et chaud. Je suis comme les petits poulets _ _ cherchant à me blottir dans le duvet, et à défaut de duvet je me contente de la laine qui me tient chaud.

J'ai un peu pleuré dans mon escalier. Je me suis trouvée malheureuse — ce qui n'est pas vrai quand on raisonne, et j'ai pleuré sur moi... ce qui est fou! Je m'en accuse et je vais expier en me levant de bon matin demain pour préparer ma classe. Pauvre petite moi!

25 septembre

Un petit mot de Maurice glissé dans une lettre de Jos — il a reçu mon avertissement — c'est le dernier bon billet et il est bien doux et bien... tout ce que j'aime !

Je l'ai tant lu, je le sais par cœur — je l'ai serré dans mon petit coffret suisse — puis ce soir je l'ai repris. Il me donne de la joie ce petit morceau de papier... et de la peine ! Tout m'en donne !

Me voilà encore dans mes mollesses, mes lâchetés et je m'en veux. Ô fille de cire molle, va !

Eh *ben*, pauvre petite âme à moi, recommençons, puisque avec nous c'est du recommencement toujours, et que nous ne savons pas continuer.

Il n'y a que le travail, un travail sérieux, soutenu, pour me rendre un peu raisonnable. Je n'en manque pas et je m'y remets, toute confuse d'avoir à me relever encore si tôt après la dernière chute. Je t'en prie, cher bon Dieu. Aide-moi un peu !

28 septembre

Il fait joli dehors, tout est en grisaille mais si doux si doux que c'est une jouissance exquise de respirer et de vivre, non pas de la vie agissante, qui remue et qui parle, mais de vivre avec son âme dans un rêve qui vous porte très haut, très loin et d'où je reviens avec peine ce soir pour me mettre à mon analyse d'histoire !

29 septembre

La fête de notre cher Papa à qui je devais donner un beau bouquet — un gros orage est venu effeuiller mes fleurs et détruire ce projet.

Arthur a passé la journée avec nous. Il est content de sa situation — il m'a fait bien des caresses comme d'habitude — bien des promesses d'être persévérant et pas trop diable, comme d'habitude aussi. Les tiendra-t-il ses promesses ? Hélas ! je voudrais en être plus sûre.

J'en veux à maman de ne pas avoir été plus aimable pour lui. Elle fut glaçante. C'est si triste de penser que cela peut éloigner Arthur de la maison. Il faudrait tout faire pour l'y attirer et l'y retenir, il s'en fait tant, au contraire, pour le faire fuir !

C'est une de mes tristesses et une de mes graves inquiétudes !

30 septembre

Ce sera bientôt la retraite — que j'ai hâte !... pour me convertir ?... oh non, c'est une phrase cela ! pour être seule et tranquille ! Je suis fatiguée de mes classes, de ma musique, des autres, de moi, de tout ! Du bon Dieu ?... mais oui, c'est laid à dire peut-être, mais c'est la vérité, toute laide qu'elle soit ! Être incapable de faire une bonne prière, être dégoutée de son devoir, c'est pourtant bien cette horrible chose que j'appelle de « la fatigue de Dieu » !

Je me force tout de même à marcher coûte que coûte. J'étudie — je prie, je cause, et quand vient le soir je dors et ce que je suis débarrassée !!

Jos m'a dit ce matin que dans sa dernière lettre à Maurice elle ne lui fait pas même mes amitiés. Pourquoi ? — je ne l'ai pas demandé — j'étais émue et je n'aurais pas voulu, pour rien au monde, qu'elle s'en aperçoive. Je n'ai rien dit : mon silence l'étonna.

— Eh bien ? dit-elle, qu'as-tu à dire ?

— Rien — c'est ton affaire !

Et je me mis à chanter *En roulant ma boule* !

Pourquoi me faire de la peine – – et à lui peut-être ? Oh ! petite Jos, si tu savais comme cela me ferait du bien une parole douce, une caresse, un petit souvenir affectueux !

Elle le fait par caprice, elle n'est pas méchante et je ne lui en veux pas.

Jos a reçu une lettre de Québec — elle me la montra de loin — elle croyait peut-être que je *prierais* pour la lire ?... Je n'y ai pas même fait allusion — je n'ai pas demandé de ses nouvelles. Rien... et je revins de la classe, le cœur lourd comme une pierre ! À quoi bon être courageuse et essayer d'être bonne, quand... quand... non ! elle n'est pas méchante, elle ne croit pas me faire de peine. C'est pour me taquiner — je ne *veux pas* lui en vouloir !

Pas de classe aujourd'hui, ouverture de la retraite ce soir. On ne nous a pas dit encore qui nous la prêche – – ce silence est un mauvais signe – – il n'est peut-être pas fameux !

N'importe, nous serons en silence de quatre heures ce soir jusqu'à dimanche! C'était tout ce que je voulais, au moins je le disais! Attrape, ça t'apprendra à faire des phrases!

Le soir

La retraite est commencée. Je n'y suis pas encore. Le prédicateur est... plat, tout ce qu'il y a de plus plat. J'aurais pu faire, moi, un aussi bon sermon que le sien... au moins! Ce n'est pas cela qu'il me faudrait, ce serait de l'enlevant, afin de me sortir de moi-même, de ma torpeur, de ma fatigue!

Mon Dieu, je veux bien la faire cette retraite. Donne-moi ta grâce, aide-moi toi-même, puisque Tu m'aimes, et que ceux qui sont tes prêtres ne savent pas parler à mon cœur!

Ce sera toujours un immense soulagement de ne pas me confesser à M. Prince. L'exaspérant M. Prince! Dire qu'il est si bon pourtant!

4 octobre

La retraite continue — tout m'y ennuie excepté le silence, qui me ravit. Dieu, que c'est bon de se taire et de ne plus entendre les autres! J'ai tout de même attrapé une bonne petite gronderie injuste!

Hier soir maman me demande:

— Comment prêche-t-il ce prédicateur?

— Stupidement! il crie et veut nous faire croire que nous sommes toutes en voie de nous damner!

Alors on me gronda! Je suis trop jeune pour donner mon opinion ainsi (pourquoi me la demande-t-on?!) c'est un esprit de critique nuisible et ridicule — etc.! etc.!!!

Et voilà ma fille! garde tes petites idées va, et dis des mensonges plutôt que ton opinion. Ce serait le résultat logique de la gronderie!

Ce soir un sermon sur la mort. Cela me révolte d'entendre beaucoup de bruit et de tapage autour de la mort, qui me paraît une chose triste mais douce. Triste à cause de la séparation, alors il faut en parler avec des larmes et non avec ce grand fracas. Puis elle est douce la mort: ne vivre qu'avec son âme, comprendre l'incompréhensible Dieu, et ne pouvoir plus pécher!

Décidément, il est ridicule cet homme qui ramène tout en bas! qui ne parle que du laid en nous, dans la mort et dans l'éternité, avec ses descriptions flamboyantes et insensées des châtiments.

Pauvre prêtre va! Ce n'est pas le « genre Jésus » que tu as adopté — tu prêches plutôt comme les ministres de l'armée du salut qui crient comme des forcenés dans les rues de Montréal depuis quelque temps.

Cela ne peut être mal de le critiquer parce qu'il est un prêtre. Je ne crois pas cette bêtise-là!

Je voudrais bien être très bonne, mais je sais que jamais je ne le pourrai! Et puis, ceux qui sont *si bons que ça* sont un peu détestables : exigeants, voulant tout ramener à leur opinion, réglant et dirigeant tout excepté leur humeur!

Voilà donc mes réflexions de retraite! elles se ramènent, hélas, à dire que j'aime mieux moi que les autres, à m'excuser de ce que je fais mal en accusant les autres.

Je suis toute triste de moi et de mes petitesses. Et je ne me suis jamais sentie si *seule*. C'est affreux de ne pouvoir jamais s'ouvrir à quelqu'un non seulement qui comprendrait, mais qui aiderait!

Les autres, mes amies, prétendent qu'elles se convertissent. Le croient-elles, est-ce vrai?

Se convertir, c'est un mot qu'elles disent! ce ne sont pas des criminelles, pas plus que moi – – Bon Dieu! que je suis lasse. Il me semble que dans moi tout est chaos et désordre et que jamais je ne finirai de remettre chaque chose à sa place!

Mardi 5 octobre

Confession à M. Raymond. Pas de froissant ni de troublant de ce côté. Pas de questions indiscrètes, d'ailleurs je n'aurais rien à dire. Lui, m'a-t-il dit des choses remarquables? Non... il faut bien étudier, être une bonne enfant pieuse, obéissante — Pas un mot sur l'orgueil qui me fait faire tant de sottises et dont je m'étais bien accusée. Mais pourquoi le lui reprocher? Je le sais, moi, c'est à moi de me corriger – – me refaire, toute seule! allons donc. Ah! les phrases!

Cela me repose, ce grand silence — et j'ai un vilain plaisir à remarquer les airs recueillis des *enfants* devant les surveillantes et leurs niches en dessous. Puis les ferveurs à la chapelle, les prosternements, les affaissements sur les prie-Dieu. Mais elles se croient réellement ferventes et recueillies, elles se prennent au sérieux.

Il faut croire que je n'ai pas leur air. Sœur du Saint-Sacrement m'aborda ce matin : éveillée !

— Vous en faites une retraite, vous, avec votre petite mine éveillée !

— Ne me trouvez-vous pas très correcte ?

— Correcte, c'est possible, mais pieuse et fervente non !

— Tant pis ! je fais ce que je peux.

Mercredi 6 octobre

On nous ordonne ce matin de faire une analyse de chaque sermon. Analyser quoi ? des idées ? il n'y en a pas ! — le français de ce monsieur ressemble à celui de ce journal, il est même plus incorrect. Le pauvre homme ! s'il savait qu'il me scandalise, en parlant de Dieu comme d'un homme ordinaire, et des grandes vérités comme d'un menu de dîner. Je parierais même que le menu serait traité avec plus de... recueillement !

Oh ! que je suis malheureuse et méchante et seule et abandonnée ! Pourquoi ces grands élans de tout mon être vers le beau, le bien, la lumière et puis je retombe lourdement, tirée en bas par les petitesses, les laideurs, les choses incompréhensibles ? Je sais que je pourrais être un peu bonne — je le veux, mais bonne pour qui et pour quoi ? Personne n'a besoin de moi et dans les devoirs que l'on m'indique comme étant les miens, il y en a au moins la moitié qui sont des grimaces et des sottises !

Personne n'a besoin de moi? est-ce bien vrai, ma petite âme?... Loin, loin, au fond de mon cœur, j'entends une voix bien douce qui m'assure que je suis nécessaire à Maurice, qu'il l'a dit et que je l'ai déjà cru! Est-ce à dire que je ne le crois plus?... il m'aime bien je sais, mais... nécessaire? indispensable? Oh! non, ce n'est pas vrai! Si je disparaissais de sa vie demain, il aurait de moi un bon petit souvenir attendri, et puis après un peu le souvenir s'effacerait complètement. Et lui dans ma vie, est-il plus?... voilà, je ne sais pas bien... il est avec Papa le seul être que je trouve absolument sympathique, en qui tout m'attire, l'esprit, les qualités morales, les petits défauts... distingués, la délicatesse presque féminine, les manières gentilles, la voix si douce et si chaude, l'affection qu'il me témoigne... mais si c'est vrai que je suis attirée vers lui, c'est également vrai que je résiste à cette attirance, je voudrais autant ne pas l'aimer que je me sens capable de l'aimer! Voilà des réflexions de retraite qui ressemblent peu à l'analyse que je suis censée faire à cette minute.

On me grondera et on me punira peut-être parce que je renonce à essayer de trouver quelque chose dans rien!

4 heures

Je pris une feuille de papier tout à l'heure et je m'amusai à faire un petit sermon sur le « devoir » considéré comme *but* et comme *moyen*. C'était une fantaisie, mais écrite sérieusement — je m'intéressai tant à ce travail que lorsqu'on appela les analyses, je n'avais pas bougé ni levé les yeux de sur mon papier. Je dis simplement que je n'avais pas fait cette analyse.

— Alors qu'avez-vous écrit depuis plus d'une heure ?

— Je griffonnais.

— Apportez ce papier.

Ce que je fis.

Après lecture :

— Où avez-vous copié ceci ?

— Ce n'est pas de la copie.

— Un résumé de mémoire ?

— Non.

— Qui a fait cela ?

— Moi.

— Quand ?

— À l'instant.

— Je garde cette feuille, vite, faites votre analyse et ne perdez plus votre temps !

Il a donc fallu faire quelques phrases bêtes sur un sermon plat !

Et il y a quelques minutes Sœur du Précieux-Sang me remit *mon* sermon en me demandant de compléter ce petit travail qu'elle trouve bien commencé. Mais cela ne me sourit plus !

7 octobre

Nous voilà toutes converties, paraît-il, une armée d'anges dont les ailes ont poussé un peu rapidement, peut-être, mais elles y sont, tâtez, bonnes gens incrédules !

Sans badinage, j'ai été fervente ce matin à ma communion. J'ai pris tristement une demi-douzaine de bonnes résolutions que je ne tiendrai pas, je sais... mais vrai, j'essaierai d'être pieuse et simple et humble et bonne !

Voilà un programme effrayant, ma petite âme, dis tout de suite que tu veux être une sainte ! Eh *ben*, oui, je veux être une sainte, Monsieur le démon, puisque c'est le seul moyen de ne pas aller jouir de l'éternité avec votre laide personne !

J'ai commencé ce soir par être très patiente et soumise, quand maman me fit de vifs reproches sur mon manque de sociabilité. Oui, je vis dans ma chère grande chambre et je me trouve toujours trop d'occupations pour passer bien longtemps avec la famille.

Ça c'est vrai ! C'est très bruyant en bas, on cause et on discute à propos de tout et de choses qui ne m'intéressent pas. De plus, je suis réellement prise presque toujours par mes leçons. Ajoutons, pour être franche, par mon journal, Walter Scott, Longfellow, Lamartine, gens distingués, intéressants et pas du tout tapageurs !

Il faudra tout de même être un peu aimable à l'avenir, et montrer ton museau au salon, petite Moi !

10 octobre

À la sortie de la classe Jos me dit : « J'ai une lettre de Maurice ! »

113

Je ne la regardai même pas, mais j'étais si indignée contre elle, que je me sentis les joues rougir et les yeux flamboyer.

Après un silence : « Ça ne paraît pas t'intéresser ? »

Je haussai les épaules avec l'air le plus hautain de ma collection et je la laissai sans l'avoir regardée.

Elle est méchante et j'ai de la peine, autant parce qu'elle est méchante que de la peine qu'elle me fait. Je l'aimais et si je finis par *croire* à sa méchanceté je ne pourrai plus l'aimer !

Je voudrais bien comprendre ses motifs, quelque idée de *sœur* je suppose ! Affaire de conscience, de responsabilité, de folies, de grimaces, de phrases ! Bonté !

11 octobre

Une journée exquise, douce, claire, l'air est pur et je jouis de vivre et de me sentir, aujourd'hui, douce, *claire* et pure. Pourquoi me tourmenter quand ça paraît si simple de respirer, de voir et d'aimer la belle nature ? Je voudrais être un oiseau, je partirais l'automne pour aller dans les pays de soleil, je n'aurais pas de conscience, ni d'obligations, ni de remords, je volerais loin de toutes les choses laides, j'aimerais *tout* — car je n'aurais personne à aimer ! Ce serait une vie simple et facile. Je ne demanderais que de la chaleur, un petit coin vert pour mon nid... et le monde entier pour y promener mes fantaisies ailées !

Un gros mal de tête et je viens de finir mes leçons — nous avons un examen vendredi.

Je suis allée voir ma cousine Charlotte[24], qui reçoit des cadeaux, s'occupe de son trousseau et a l'air trop affairée pour être heureuse. Pour moi, l'agitation exclut le bonheur. Elle me dirait probablement que je n'y entends rien ! Ces vieilles filles ont un grand mépris pour les opinions des petites filles comme moi.

Jos est muette, et moi immobilisée dans mon orgueil ! Jamais, jamais je ne lui ferai une question. Hier elle a parlé de Québec, j'ai inventé un prétexte pour la laisser, afin de ne pas avoir la faiblesse *d'avoir l'air d'écouter avec intérêt* !

Que je m'ennuie de lui, j'ai froid au cœur dans cette solitude que j'endure. Je me détache de Jos, elle me désappointe — elle a plus d'esprit que de cœur. J'adore Papa, mais je le vois si peu, si rarement seul, et quand cela arrive, je mets ma tête sur son épaule et je ne dis rien, jouissant en silence d'être enveloppée dans sa tendresse.

J'aime bien Alice, mais elle a ses amies de classe, d'autres intérêts et tout autant de réserve que moi.

Ma bonne tante tient une place dans ma vie, et une bonne !

Elle parle peu, mais prêche d'exemple et ne m'a jamais dit une parole blessante, injuste ou amère. Je

---

24. Fille aînée de Jules-Maurice Lamothe et de Marie-Charlotte Mondelet, sœur d'Émilie, épouse en premières noces de Georges-Casimir Dessaulles.

la vénère comme une sainte. Elle est comme les sain-
tes.... très loin de moi !

Maman est à s'habiller pour sortir ce soir; après
son départ, j'irai au salon faire de la fantaisie musicale
– – inventer des extravagances, faire vibrer les cordes
de mon piano à l'unisson des cordes de mon petit
cœur — elles sont tendues à se briser, aussi de les
effleurer les fait gémir !

13 octobre

Journée de soleil et de gaieté, de la gaieté folle,
bruyante, qui étourdit et fait du bien à la petite folle
que je suis. En classe, à la musique, durant le silence
ou la récréation ce fut un rire inextinguible, des idées
bouffonnes, des sorties saisissantes pour les pauvres
maîtresses. J'eus des difficultés à l'anglais où je fis de
la traduction iroquoise et à la musique où la pauvre
Sainte-Cécile faillit devenir enragée.

Pauvre sainte, elle a encore plus de patience que
j'en aurais si je *m'avais* pour élève quand je suis en
effervescence comme aujourd'hui.

Ces petites lignes serrées m'exaspèrent ! il me faut
de l'espace... pour déployer mes ailes !

Que c'est bon de rire, d'avoir le cœur plein de joie,
la cervelle sans idée, la conscience sans remords – –
même quand on a passé la journée à faire enrager les
autres. Maurice aurait ri ! rien ne l'amuse comme mes
journées d'effervescence !

116

Pas un mot — il pourrait aussi bien être parti pour une autre planète. Mlle Jos soigne ses scrupules... quand il s'agit des autres!

Le jeune Hamel est mort d'une fièvre typhoïde pendant le service de sa sœur morte de la même maladie. Elle avait vingt-deux — et lui vingt ans. La pauvre mère! A-t-elle beaucoup de foi? Croit-elle, dans son cœur, que le bon Dieu a *bien* fait et qu'il est si bon? — J'ai une tendance irrésistible à me révolter contre ce mystère de la douleur humaine — Quand j'ai connaissance de grands malheurs, j'essaie de n'y pas penser, j'ai peur de penser laid et mal!

Aide-moi donc à t'aimer et à te comprendre, grand Dieu terrible et... bon, oui je le crois, je veux te croire bon!

Quoi dire? quoi dire? Que le vent hurle et me fait frissonner? Que je suis triste et éteinte? que Jos est méchante pour moi — que je voudrais dormir toute la journée et tous les jours pour oublier ce tout de ma vie grise qui m'écrase! Et Maurice?... qui sait, il m'a peut-être oubliée lui aussi? S'il me trouve la moitié insignifiante comme je me sens, il a eu bien raison aussi!

Bonté! ou Misère! je ne sais vraiment quoi invoquer et je me demande à quoi bon écrire, sinon à me faire pleurer comme je suis en train de le faire.

En récréation Jos m'aborde d'un air mystérieux :

— J'ai une lettre de Québec.

Je la regardai sans parler, je devais avoir un air affamé :

— Eh bien, continue-t-elle, taquine, veux-tu la lire ?

— Écoute, Jos, si tu me l'offres sérieusement, donne, je serai contente de la lire, si – – –

Ma voix tremblait tellement que je ne continuai pas.

— Grande orgueilleuse va, pourquoi ne l'as-tu pas avoué avant, que ça te faisait de la peine de ne pas les voir ces lettres ?

J'avais la chère lettre dans la main, mais j'étais fâchée du ton de Jos — je lui jetai la lettre.

— Tiens ! je ne fais ni aveu, ni prière ; — de plus je te demande pardon d'avoir pu te paraître indiscrète en lisant tes lettres.

Je la laissais. Elle courut après moi — passa son bras autour de ma taille :

— Ma petite Henriette, pardon, garde la lettre, au surplus, cela me rendra service, Maurice est furieux contre moi parce que tu ne vois plus ses lettres et que je ne lui fais jamais de commissions de ta part. Tiens, écris-lui un mot au crayon et je le glisserai dans ma réponse !

— Vilaine Jos, capricieuse va ! Tu sais bien que je ne puis écrire. Je l'ai promis !

— Ah ouiche ! ta belle-mère n'en saura rien !

— Ce que je m'en fiche d'elle — mais je ne puis me ficher de ma parole et j'ai promis de ne pas écrire. Ne me tente pas, petite Jos! Si tu savais comme c'est difficile de se résister!

Et j'ai eu toute la journée la jolie lettre de Maurice à Jos, et elle est là sur ma table — et il me semble en la relisant que j'y découvrirai encore des choses aimables et gentilles pour ses petites sœurs.

Et voilà que ce soir, mon cœur n'est plus lourd et que le grand vent m'endort et me berce au lieu de me glacer et de me faire mal... mon grand ami, je ne t'aime pas plus que tout, c'est sûr, mais je t'aime bien, va, et l'on me fait bien des misères dont tu ne te doutes pas. Quand je pense à toi, à nos longues causeries dans le jardin, c'est très doux et il me semble que je ne suis plus seule – – – Je voudrais voir dans ton cœur, c'est si difficile de croire que tu aimes beaucoup une si petite moi!

19 octobre

Tout a bien été — la classe, la musique; il n'est pas probable que tout le monde ait changé — alors, petite moi, c'est toi qui étais maussade, et si tout allait de travers c'était de ta faute? — Quelle confusion pour moi de raisonner si sagement!

Il paraît qu'il existe une science par laquelle on connaît les gens par leur écriture. La mienne, ces jours-ci, serait curieuse à étudier! est-elle laide, est-elle laide! Suis-je si laide que tout cela intérieurement? — non, pas laide mais agitée, impétueuse, vibrante!

J'ai bien travaillé aujourd'hui — j'avais l'intelligence alerte, tout me paraissait clair, facile à saisir, et je me sentais des idées, des chapelets d'idées ! — aussi ma composition anglaise sera-t-elle bonne — j'avais à faire une petite analyse sur Dickens, *mon* Dickens ! Je l'aime d'amour tendre ce profond, triste, fin et subtil Dickens !

21 octobre

Lecture de notes impossible ! Sœur Saint-Amon se livra à sa furibonde éloquence, et devant cette exagération toute méridionale, je fus prise d'un fou rire. Je riais tout bas, mais de tout cœur, et de tout moi ! Je payai ce beau plaisir par une retenue de deux heures avec pensum pour m'occuper. Ce n'est pas trop cher pour un pareil accès de gaieté ! C'est donc fou de ne pouvoir s'amuser d'une chose très drôle sans en être punie ! il faudrait être faite de carton, ma mie !

22 octobre

Oh ! Abomination de grand ménage ! cela me désoriente et je me sens perdue dans ce chaos... même mon petit coin a l'air d'une vente à l'enchère ! Pas de tapis, — mes livres à terre dans un coin, de grandes fenêtres nues, derrière lesquelles les étoiles curieuses veulent devenir de vulgaires commères ! ô mes mignonnes, fermez vos yeux jolis, et ne venez pas scruter la pauvre petite fille vilaine qui écrit pour ne pas trépigner et pleurer de rage... elle est vilaine allez, et méchante et laide – – on le lui a bien fait entendre d'une voix criarde et râpeuse ! et c'est parce

qu'elle croit toutes ces horreurs qu'elle est si malheureuse... qu'elle voudrait être morte! oui, *finie*
pour toujours! Mon cœur ne sera plus tenaillé et pal-
pitant quand il sera immobile et glacé dans ma poi-
trine... je ne demanderai plus à personne de m'aimer
et de me caresser quand je ne sentirai plus rien!

Vais-je pouvoir me débarrasser de cette angoisse
folle avant d'éteindre ma lampe? Ce sera si miséra-
blement triste de me sentir seule dans le noir. Ô
Dieu, Dieu, est-ce vrai que tu nous aimes et que tu
remplaces les mères? et tu ne viens pas quand je
t'appelle et quand je ne suis plus qu'une pauvre
petite misère!

23 octobre

Grand calme après la tempête — pas une de *mes
feuilles* qui s'agite — elles pendent jaunes et sèches
sans pouvoir même tomber comme leurs sœurs
vraies qui pleuvent sur le sol! Je suis lasse – – lasse
lasse – – il y a plusieurs *amis* au salon — j'ai demandé de ne pas paraître ma petite heure de
rigueur! Je l'ai demandé à tante, afin d'obtenir: très
bonne, elle a passé la main sur mes cheveux:

— Il faudrait rabattre toutes ces boucles et refaire
un peu ta toilette, Henriette, c'est ce qui t'ennuie?

— Ô ma tante, tout m'ennuie... et je dors debout.
Tu arrangeras cela avec maman?

— Mais dis-le-lui toi-même, ce sera mieux.

Câline, je lui pris les deux mains:

— Je t'en supplie, ma tante, donne-moi ma permission, et laisse-moi monter de suite!

Elle hocha la tête, et mettant le doigt sur mon front :

— Il se passe de folles choses dans cette folle tête !

Et je suis délivrée des Laurier, Saint-Germain, Saint-Jacques, Plamondon, etc. ! Ce que c'est difficile d'avoir la paix dans ce pauvre monde !

Je ne veux pas penser à hier, cela vous décrocherait, mes pauvres feuilles ! Quoi dire alors ?

J'ai découvert une belle âme ! – – Rosalie, notre petite couturière, (elle est très vieille, *30* ans au moins !) est toujours seule dans la chambre de couture et hier, avant le petit massacre dont je fus la victime, je passais très nonchalante près d'elle :

— Vous êtes bien pâlotte, mamzelle Henriette, êtes-vous fatiguée ?

— Je suis surtout bien tannée, Rosalie !

— Et de quoi ?

— Oh ! – – – de moi, je suppose !

— Vous êtes pourtant bien heureuse, mamzelle !

— Moi, heureuse ?

— Mais oui ! Vous avez de bons parents, tout à *souhaitte*, vous êtes riche, vous restez dans une belle maison, vous êtes servie comme si vous étiez manchote, vous vous instruisez dans toutes les sciences ! Y en a pas beaucoup de si heureuses que vous !

Je ne répondis pas tout de suite – – à elle, que pouvais-je répondre ?

— Et vous, Rosalie, questionnai-je, vous n'êtes pas heureuse ?

— Faites excuse, mamzelle, je suis bien contente de mon sort.

— Vous demeurez chez vos parents ?

— Non, ils sont tous morts. Je loue une petite chambre où je vis toute seule – – mais pas long-temps, ajouta-t-elle avec son bon sourire, puisque je travaille ici tous les jours, de sept heures à sept heures. Quand je sors d'icitte le soir, je vais faire mes prières à l'église, puis en arrivant je me couche pour me lever à cinq heures le lendemain !

— Et le dimanche ?

— Je passe beaucoup de temps à l'église et de temps à temps j'écris à mon neveu qui est vicaire aux États.

— Et vous êtes heureuse ainsi ?

— Oui, je fais mon devoir tant que je peux pour le bon Dieu et je sais que le bon Dieu fera le sien vis-à-vis de moi !

Je l'ai laissée toute songeuse et je remuais des pensées très douces, quand j'eus cette gronderie im-méritée qui m'agita l'âme si violemment. Ce qui me brise, c'est de tout garder en moi, et hier, au lieu de protester ou de nier, je me suis cristallisée dans mon orgueil et je souffrais une torture de penser que maman me croyait capable de la tromper.

Pourquoi protester, si elle n'a pas confiance, elle ne me croirait pas et cela m'abaisse de discuter sur les petites bassesses dont on me croit capable.

Je ne voulais pas en parler, mais je vois que cela ne fait rien — je suis calme à présent et je suis sur-prise de ne pas en vouloir à maman. Je la plains plu-tôt — si elle est aussi soupçonneuse avec les autres qu'avec moi, elle doit vivre bien mal à l'aise !

Quand j'ai de gros chagrins comme celui-là, je fuis mon petit père, tant j'ai peur de ne pouvoir résister à la tentation de tout lui dire. Et il aurait de la peine sans pouvoir remédier à rien ! Oh ! non, cher, je ne te ferai jamais souffrir, mais ce serait bon de me bien serrer dans tes bras et de te dire : «Aime-moi, plus que plus, les autres me font mal ! » L'angoissante chose, de tout garder, de tout refouler en soi, de laisser croire qu'on n'a pas de cœur, de mentir — car c'est mentir et elle a raison un peu, ma belle-mère, quand elle m'accuse de la tromper, de ruser avec elle ! Oui, elle l'a citée cette horreur !!

Me voilà encore en ébullition. Je me vantais d'être calme, oui, calme comme la mer dont les vagues sont éternellement en mouvement !

24 octobre

Dans de grands honneurs aujourd'hui ! On m'admet comme... postulante, dans la Congrégation des enfants de Marie. Beaucoup de cérémonies pour cela. Interrogatoire sérieux sur mes dispositions *bonnes*, discours sur la sagesse (!!!), l'exemple que je dois donner... une robe blanche, un ruban, mais enveloppant tout cela, de la musique si jolie, la voix d'or de Sainte-Cécile et un ravissement à la chapelle de ces lumières et de l'encens et de la musique et de toute cette poésie qui se dégageait de la petite scène où je jouais un rôle. Je voudrais vivre dans l'encens et l'harmonie, avec les anges, et je me voudrais des ailes pour me transporter loin, loin de tout le noir d'ici !

Fête d'Emma[25] — j'ai eu du plaisir à lui choisir un joli livre — Je les aime ces enfants, et j'aime leur mère, et peut-être m'aime-t-elle, elle est si bonne pour moi quand elle est bonne. — Mais souvent nous ne nous comprenons pas.

J'étudie beaucoup, nous préparons des examens — je suis en veine et les difficultés me donnent une grande ambition de les vaincre.

Je revins tard de la classe, je m'attardai au coin du couvent à parler avec le petit bossu, je l'aime ce pauvre petit vieux, il a de bons yeux malheureux qui me donnent tonjours envie de lui sourire et de lui dire un mot gentil.

Je venais de laisser *mon ami* quand je rencontrai Mme Saint-Jacques — elle m'arrêta pour me demander de retourner au couvent porter une lettre à Jos. — Je n'y courus pas, j'y volai, c'était une lettre de Québec.

Je la tenais serrée dans ma main — et mon cœur aurait tenu dans l'autre petite main tant il était serré de... je ne sais de quoi par exemple! Mais il n'était pas plus gros qu'un noix[26], le pauvre petit!

J'aurai des nouvelles demain, mais j'en espère et c'est une joie!

25. Demi-sœur d'Henriette Dessaulles, née le 27 octobre 1871.
26. Dans le parler québécois, «noix» est souvent masculin.

Je n'ai pu voir Jos sans témoin — «Bonnes nouvelles!» m'a-t-elle glissé. Ses yeux brillaient et mon cœur a battu! Qu'a-t-elle voulu dire avec son air mystérieux... un billet pour moi peut-être? Je ne le veux pas. — J'ai promis, j'ai promis! Je suis un peu agitée et j'ai mal travaillé cet après-midi. Mon Dieu que je suis difficile à *mener*, je me fais l'effet d'un jeune cheval nerveux, toujours prêt à dresser les oreilles, à s'emballer et même à ruer!

Je veux étudier deux heures ce soir et réparer l'après-midi si mal employée. Je n'ai nulle envie de travailler, je voudrais plutôt monter sur le toit, ou partir pour les étoiles qui font une dentelle de lumière sur le fond si pur du ciel. Que c'est beau, beau ce qui nous entoure et comme on voudrait s'élever, se grandir avec cette beauté!

À l'ouvrage, petite rêveuse!

Plus tard

J'ai travaillé comme un vieux teneur de livres! J'ai fait des chiffres tant que je n'ai pas eu la cervelle rompue — et je me suis donné un congé dans ma fenêtre, pour revoir mes chères étoiles. *Pendant cela* – – une lumière a brillé vis-à-vis, derrière le rideau, dans la chambre de Maurice, toujours noire depuis longtemps. On aura donné cette chambre à un ami peut-être! Et les yeux de Jos?... Si c'était Maurice lui-même? Pauvre petite folle, va! Les chiffres t'ont troublé l'imagination. Va te coucher et rêve aux étoiles si tu veux mais n'invente pas des extravagances. Tout de même, c'est heureux que mon travail ait été fait avant d'avoir cette vision...

C'était vrai, il est ici pour trois jours! — En tournant le coin pour me rendre au couvent, ce matin, je le vis dégringolant l'escalier pour venir me rencontrer. Je fus si saisie, que j'en étais étouffée!

Il vint me reconduire au couvent et ma première surprise passée, je me retrouvai avec lui comme avant: absolument heureuse et à l'aise... précipitant les questions, répondant à la diable, sentant toute la caresse de ses chers yeux aimants m'entrer dans le cœur! Que c'était bon et que ce fut court! Qu'avons-nous dit? — peu en paroles, mais j'ai compris que j'étais sa petite amie toujours et qu'il compte bien être le mien toujours aussi. Et ces jolies choses devi-nées sous les questions banales et les mots de tous les jours!

Le verrai-je en

Triste interruption! Maman n'entre pas une fois par année dans ma chambre, elle y est venue, pour me faire un petit discours vite résumé. Elle sait que Maurice est ici, qu'il a marché avec moi jusqu'au couvent, ce matin... et elle ne veut pas que cela se renouvelle.

Un discours d'un quart d'heure qui finit par un sec:

— Tu m'as comprise?

— Oui, mais si Maurice vient encore me parler sur la rue, je ne lui dirai pas de s'en aller, certainement.

— Mais je le veux !

— Je ne me charge pas de semblables commissions et ça, *c'est décidé* ! Je ne chercherai pas à le voir, mais s'il vient, je ne le renverrai pas.

— C'est une révolte, un refus de m'obéir ?

— C'est impossible, je ne puis faire cela.

Elle sortit de la chambre, fâchée, en disant : «Tu n'oseras pas me braver ! »

La braver ! Je n'y songe pas, pauvre de moi ! Elle me mettrait en petits morceaux sans me décider à dire ce qu'elle veut me faire dire à Maurice ! Je n'ai pas peur d'elle – – de personne d'ailleurs.

Que le sort me soit doux et nous rapproche, je n'essaierai rien... car je suis un brave homme de petite fille et je n'ai qu'une parole !

1er novembre

Dès ce matin j'avais décidé que je n'irais pas plus loin que le couvent à midi et ce soir, afin de ne pas chercher à rencontrer Maurice... Je l'ai tout de même espéré avidement, et ma journée a été agitée et tourmentée, car j'ai été tentée de m'écarter de mon strict programme. Dieu merci, j'ai tenu bon et je puis me regarder en face dans mon miroir et ne pas rougir de ma lâcheté.

Mettons que ce soit une belle journée pour le ciel, elle n'en reste pas moins une vilaine triste pour moi !

Est-ce singulier de maman ces défenses, ce tour-ment pour... rien ! C'est-à-dire pour me faire de la peine... !!

2 novembre

Quand je sortis du couvent, cinq minutes en retard parce que j'avais été retenue à la salle de musique, j'aperçus Maurice qui m'attendait à quelques pas. Mon cœur en sauta de joie, et nous sommes revenus lentement jusqu'à la maison — et là, nous avons bien causé trois minutes avant de nous laisser. Il part demain et reviendra le 20 décembre. Il a beaucoup de travail — il aime l'université — son voisin de chambre c'est Tom Chase Casgrain — un charmeur, paraît-il. — Je causais très à l'aise, sous le flamboyant œil maternel que je supposais caché derrière le rideau. Quand il partit, il serra un peu ma main et me dit : « Ma petite Henriette ! » — avec cette petite dou-ceur, j'irai bien jusqu'à Noël !

J'entrai résolue à subir l'orage avec beaucoup de placidité. J'eus en effet une sévère gronderie à laquelle je ne répondis pas un mot.

Elle finit par finir, et je viens de monter, absolu-ment ennuyée de toute cette dépense de mots ! Cela ne m'a pas fait de peine — ni peur, ni rien ! rien qu'un ennui sans nom ! Comme c'est sans bon sens tout ce tapage ! Maurice part demain — je l'ai vu cinq minutes avant-hier — six aujourd'hui ! Avec la mé-thode de maman, j'aurai longtemps le souvenir de ces onze délicieuses minutes !

Il n'est pas neuf heures et je me couche — j'ai un mal de tête affreux! C'est toute cette éloquence sûrement!!

4 novembre

J'ai si mal à la tête depuis trois jours! Aujourd'hui, en classe, à certains moments je ne pouvais suivre les leçons tant je souffrais... il me semble être un peu mieux ce soir mais je n'ai pas le courage d'étudier... je ne continuerai même pas à écrire — je n'ai rien à dire d'ailleurs — je n'ai dans la tête que des élancements et dans le cœur un barbouillage!

9 novembre

J'ai été tout à fait malade, une grosse fièvre et ce mal de tête si continuel! Je me lève pour la première fois cette après-midi. Le temps a aussi triste mine que moi... car je ne suis pas brillante. J'ai essayé de lire, de coudre, de faire de la musique... rien ne va! Je suis une petite machine hors d'usage... pour un peu je me mettrais au grenier. J'ai demandé à Adèle de me monter un de ses chats, et enveloppée dans un grand tricot bien doux, le chat dans mes bras, j'ai passé deux heures sans bouger, ayant bien chaud et bien doux, rêvant de pays bleus où le soleil est toujours brillant, et la brise toujours caressante. Cette tristesse de novembre, ce vent triste, cette pluie, ce froid, voilà qui ressemble peu à mon rêve et à celui de Minet qui ronronnait en rêvant aussi à sa façon. Quand Adèle est venue m'en débarrasser, il a paru trouver très ennuyeux d'être dérangé.

Tante Leman me soigne et me dorlote – – c'est presque bon d'être malade, je me sens si petite et si faible ! Je vis un peu comme dans un rêve, dans ma grande chambre assombrie, je n'ai entendu que des voix douces et de bonnes paroles : on marchait sur la pointe des pieds et dans ce grand silence, quand j'étais bien fatiguée et que je fermais les yeux, il me semblait que je m'en allais loin, loin, si loin que je n'en reviendrais plus, et cette sensation-là était très douce. J'ai écrit tout cela sans être trop fatiguée, mais j'ai bien fini ma journée quoiqu'il ne soit que cinq heures et je vais me coucher pour tout de bon !

13 novembre

Je reprends mes forces tout doucement... Jos est venue me voir hier, avec Sœur Sainte-Cécile. En partant Jos m'a glissé sa dernière lettre de Québec. Une longue et intéressante lettre que je suis en train d'apprendre avant de pouvoir la remettre à Jos. J'espère pourtant retourner au couvent dans une semaine.

Je puis lire sans fatigue et quand j'échappe à la surveillance de tante et de maman, je passe des heures charmantes a lire *Pickwick Papers*. Ce Dickens — il me ravit !

Il fait froid mais très beau, je suis sortie hier, encore aujourd'hui. Je suis guérie. On me trouve pâle — c'est un détail — je me sens très vivante et j'ai hâte qu'on me permette de recommencer mes classes. Je m'amuse bien à la maison ; — je déchiffre des opéras (la porte bien fermée pour éviter les critiques !), je lis Dickens, je joue avec les enfants... et j'ai presque honte de le dire, tous ces soirs-ci, je vais à la cuisine vers cinq heures, quand le poêle pétille et que la lampe n'est pas allumée et je me fais conter des contes de loups-garous, de « *jeteux de sorts* », de feux follets. Adèle croit à toutes ces folies, et elle les raconte avec une conviction et une chaleur qui me tiennent sous le charme.

Oh ! si ma raisonnable mère savait ce que je deviens à cinq heures ! Elle en serait très fâchée. C'est tout de même fichument amusant ! Oh ! les gens raisonnables ! Quelle triste invention ! Tout chez eux est réfléchi, calculé, raisonné, prouvé ! Ils ne vivent pas, ils... fonctionnent à la façon des machines... Bonté ! que je suis heureuse d'être une petite Fantaisie, « *my Fairy* » comme m'appelait ma pauvre Kate[27] !

Fée, fantaisie ou farfadet, il m'arrive très souvent de ne pas être au goût de ma raisonnable mère, hélas ! Et si elle connaissait l'emploi de mon temps de cinq à six heures et demie, elle serait bien scandalisée !

27. Catherine (Kate) McGinley, qui fut quinze ans bonne d'enfants dans la famille Dessaulles. Née en Irlande, elle était venue au Canada en 1860, dans la suite du prince de Galles.

Dix jours sans écrire — je ne suis pas bien encore, j'ai dû prendre froid, mais je tousse un peu et chaque fois que le docteur vient, il me trouve un peu de fièvre, et avec sa plus grosse voix, il recommande de la prudence et des petits soins. Le matin, je suis gaie, alerte, légère, mais quand l'après-midi vient, je me roule dans le « grand gris » sur le sofa, et sans dormir tout à fait, je rêve à tous les contes d'Adèle, j'invente des histoires aussi jolies qu'extravagantes, et je finis par m'endormir et par rêver à de vrais lutins, à des sorcières échevelées, à des bêtes enchantées! Je m'éveille brûlante et frissonneuse. Tante me déshabille, me met au lit – – et je recommence des nuits agitées et fatigantes.

Voilà ma vie – – – ce n'est pas gai, mais c'est loin d'être triste!

Je suis faible… ce matin en me coiffant j'ai perdu connaissance – – quand j'ai ouvert les yeux j'étais couchée, Papa me tenait la main et me regardait avec de grands yeux inquiets — j'ai voulu lui sourire, mais il a fait encore très noir. Le docteur est venu : « Ce n'est rien, rien du tout! Elle est un peu faible la poulette! Du repos! du repos! »

Miséricorde, mon gros docteur, du repos — je ne prends que ça, je ne bouge pas depuis longtemps! Enfin! c'est ça être malade! Je ne souffre pas, je dors beaucoup, tout est tranquille en moi! Mon esprit dort, mon cœur aussi! Je n'ai jamais vécu si doucement, je suis comme dans un long long rêve!

On m'a défendu de marcher aujourd'hui. Je suis bien contente, cela me fatigue tant et je n'aime pas l'avouer.

J'ai pensé à Maurice tout à l'heure. Il est très loin, avec les princes de mes contes – – je n'ai plus de cœur, — il dort – – laissons-le en repos... Le gros docteur l'a dit. Merci, gros docteur, mais ne me laisse pas mourir dans ce grand repos!

4 décembre

Jos est venue me voir. Elle m'a glissé un livre dans lequel j'ai trouvé plus tard un billet de Maurice. Il n'aurait pas dû – – un gentil billet parce que je suis malade. Je l'ai mis sous ma joue pour dormir sur les douces phrases de mon grand ami qui est triste et inquiet et me sermonne afin que je me laisse soigner. Ce n'est pas difficile de se *laisser* soigner quand on ne fait rien pour soi-même! Non! rien — je ne m'ennuie pas, je ne pense même pas!

Cela mène peut-être au ciel, un rêve comme celui dans lequel je vis! Bientôt je ne serai plus qu'une petite âme, une petite âme dolente et résignée qui montera avec les anges sans faire de façons.

Tu auras de la peine, mon pauvre Maurice, mais moi je n'en aurai plus jamais, et je t'aimerai d'en-haut bien mieux que d'en-bas va!

Que je suis lasse.

Eh *ben*! elle se réveille la petite âme, et je renonce à mon ascension pour le moment. Il y sera toujours, le ciel et le vieux saint Pierre doit retenir ma place : modeste et... bon marché!

Mes examens du trimestre sont fichus! Je ne puis encore étudier. J'ai fait demander, au couvent, de passer mes examens d'anglais et de musique : si je continue à devenir mieux je pourrai m'y préparer sans trop de fatigue. Impossible pour le français, ces concours écrits m'épuiseraient.

C'est bête d'être malade quand on aurait tant à faire!

Je *crois*, mais sans en être certaine, que Maurice arrivera le 24. Il ne trouvera qu'une ombre mince, blanche, un peu triste, presque plus une petite fille, et presque tout à fait un petit fantôme.

Il m'aimera bien quand même, je sais. Je le lis sur les lignes et entre les lignes du fameux billet de contrebande sur lequel j'ai dormi souvent, ce qui l'a froissé, effacé, taponné! Il n'en reste pas moins le plus joli billet possible, et je m'admire ferme de n'y avoir pas répondu! Ô mes tentations, que j'étais heureuse sans vous, quand je vivais à demi! Dans le réveil général, celle d'écrire un petit mot n'a pas manqué de me tourmenter. J'ai été héroïque! Bien, ma fille, vante-moi, si ça te console!

C'est demain que Maurice arrive. Singulier comme cela ne m'impressionne pas... Je l'aime bien et je serais contente de le voir, mais... mais c'est très curieux d'être calme et froide comme la neige qui tombe si mollement ce matin... calme et froide !

Pauvre moi, faut-il que tu sois à demi-morte, tout de même pour être déjà comme la belle neige blanche !

Pauvre grand ami, je ne t'aime pas plus que tout, bien sûr !

J'irai au couvent demain pour l'examen de musique : une sonate de Mozart, un nocturne de Chopin et une étude de vélocité qui me met hors d'haleine ! Je suis encore si faible qu'après être tout embobinée pour sortir, il faut me reposer avant de me rendre à la voiture.

J'ai vu Maurice de loin, et j'ai été si émue que mes yeux se sont remplis de grosses larmes qui ont commencé à geler sur le bout de mes cils ! J'étais en voiture – – lui aussi. Je voudrais bien le voir. Je serais mieux si je voyais ses chers yeux si si doux et si caressants. J'ai un grand besoin d'être aimée et choyée et gâtée comme une petite petite !

Je recommence à vivre puisque je recommence à désirer des choses impossibles, à être angoissée et agitée...

Mon Dieu, garde-moi et aime-moi, toi le grand et le bon, et le Tout-Puissant !

J'étais seule dans la voiture avec le vieux François[28], c'était près du collège, je vis Maurice et je fis arrêter. Il vint me parler. « Montez, Maurice, je vous reconduirai chez vous. » — Il monta et s'indigna parce que je disais *vous*... ce qui ne m'empêcha pas de continuer parce que... eh bien parce que ! Dix bonnes minutes ! Je les ai dans le cœur, les minutes, les paroles, la voix, les yeux, ce tout lui que j'aime ! Je le laissai chez lui et je rentrai à la maison si rose et si animée que Papa vint m'embrasser et me faire des compliments sur ma bonne petite apparence. « C'est le bon air et le froid », fait-il. « Et Maurice, monsieur Papa », pensai-je !

Il neige à gros flocons, et j'ai dû beaucoup prier pour faire ma promenade à cette humidité. Mais je le voulais tant ! J'avais tant l'impression que je verrais Maurice ainsi ! Et je l'ai rencontré avec sa cousine Mary qui le trouve si gentil ! Je les ai invités tous deux à monter en voiture avec moi, et j'ai dit à François d'aller au bout du monde, à la campagne. À cette tempête, nous avons rencontré peu de monde et je

---

28. Cocher et jardinier chez Georges-Casimir Dessaulles.

n'ai pas vu une seule bonne âme charitable dont la mission soit de rapporter mes faits et gestes à mon austère mère.

Nous avons fait la plus jolie promenade. Je disais «vous» et Maurice aussi, à cause de Mary, ainsi cela n'a pu lui faire de peine! Tant mieux, car c'est dur de ne pas toujours faire tout ce qu'il veut... Lui qui est si peu exigeant et qui ne m'a jamais rien refusé.

Nous sommes revenus «à la brunante» comme dit François.

Ça c'est une désobéissance. J'espère que maman finira par le savoir! Je n'aime pas à me cacher. C'est méprisable!... me révolter et faire à ma tête, ouvertement, ne me donne pas de scrupules comme un mensonge et une cachette!

Quand ma volonté a été la plus forte — au couvent et chez nous, et que j'ai fait à ma tête malgré les autres, j'éprouve un grand plaisir qui n'est pas diminué par le remords que mes révoltes devraient m'inspirer! Je n'ai peut-être pas de *sens moral* — comme l'a dit M. Prince qui me comprend comme je comprends le mystère de la Sainte-Trinité!

Dans la soirée

Longue veillée de Noël, toute seule dans ma chambre, en attendant la messe de minuit — j'irai au couvent en voiture. C'est un peu ridicule, et j'ai dit à mon vieux François comme j'ai de la peine de le faire atteler au milieu de la nuit, quand je pourrais si bien me rendre à pied. Mais je ne suis pas la maîtresse ici, et quand je ne puis faire autrement – – *eh ben*, j'obéis!

L'année achève, et moi je recommence à vivre pour tout de bon, à sortir de ce rêve de fièvre et de cette vie de rêve, où je ne retrouvais rien de mon moi... où je n'aimais ni à remuer, ni à penser, ni à aimer! voilà! ni à aimer! et voilà que je recommence à aimer, à désaimer, à me cabrer sous les reproches, à penser que le monde est mal organisé et à rêver de le réformer. Je me trouve ridicule mais je m'aime quand même, et je voudrais être libre! libre comme un oiseau et avoir le grand infini pour m'ébattre. Voler au-dessus des grincheries d'ici, des inquiétudes de moi, de tout ce qui nous tient attaché ici, de tout ce qui pèse, de tout ce qui crispe, de tout ce qui vous serre le cœur et le fait crier de peur ou de mal!

Je communierai cette nuit et je demanderai à Dieu ces ailes de l'âme qui m'élèveraient un peu, près de Lui L'Infini, et loin de moi petite misère de ce soir!

30 décembre

Encore très fatiguée depuis Noël, je n'ai pu sortir — j'ai toussé, j'ai eu de la fièvre, et de la peine et je voudrais mourir, ce serait si plus simple et si fini!

Hier soir maman a réuni mes amis — nous étions une dizaine et Maurice en était, et *elle* a été affreuse avec lui — oui, grossière tout à fait! Et alors, toute révoltée, je me suis rapprochée de Maurice que j'avais évité, par timidité, et je lui ai dit: « Maman est très vilaine avec vous, mais n'ayez pas de peine, moi je suis votre amie, et je le serai malgré elle et rien ne m'empêchera de l'être!» Comme j'ai été toute remuée et quelle soirée j'ai passée, et dans quelle révolte je suis! Elle est injuste, et méchante! Il ne lui a rien fait, pourquoi l'invite-t-elle si c'est pour lui faire un affront?

Après la soirée, quand j'allai dire bonsoir à petit père, j'inclinai la tête devant elle, et je lui dis «bonsoir» sans faire mine de l'embrasser. Elle me suivit.

— Maurice te porte beaucoup trop d'attention, et j'ai voulu lui faire comprendre...

Je l'interrompis violemment, quoique parlant presque bas.

— Ce n'est pas exact, quand il est venu au piano pour tourner mes pages, il ne m'avait parlé qu'en arrivant pour dire bonsoir comme les autres! Et tu as été grossière avec lui, et je lui ai fait des excuses, et je lui ai dit que si tu ne l'aimais pas, j'étais son amie, moi!

Et je filai si vite que je ne vis ni son air, ni rien! Aujourd'hui elle ne m'a pas parlé et je l'évite. Je ne regrette rien... ce n'est pas mal de dire la vérité, ce n'est pas mal de blâmer l'injustice. Tant pis si c'est l'autorité qui la commet. Je ne puis pas me soumettre mollement, lâchement, il faut que ma volonté s'affirme ou bien j'en serais malade.

Ô mon cœur tout en révolte, tout vilain, tout agité, faut-il que nous finissions l'année dans ce désarroi? J'ai beau dire que je ne regrette rien, je me tourmente de tout ceci; ses torts à elle m'apparaissent aussi clairs que mon droit à dire la vérité, et j'en arrive tout de même à m'inquiéter de mon attitude de révoltée. La paix, cette paix que j'ai tant demandée, ces ailes que j'ai tant désirées, c'était vrai aussi! Et me voilà dans la discorde et mes ailes sont brisées! Dieu, Dieu, ne peux-tu donc m'aider, me sortir de ce chaos, me calmer et me montrer le vrai et le droit. Tu sais bien que je ne veux pas t'offenser, mais tu sais bien aussi que je n'ai pas un cœur d'esclave et que je ne puis pas accepter en silence l'injuste caprice qui veut me dominer!

À quoi bon écrire tout ceci, je vais l'enfermer ce cahier et garder en moi tout! À quoi bon, tout? Mes bonnes résolutions? Je suis bonne quand tout va à mon goût! Belle vertu vraiment! Je ne sais plus ce que j'écris et je te demande, mon Dieu, d'avoir pitié de moi, pauvre petite âme!

1876

3 janvier

Une minute, non, dix, seule avec lui, des minutes si douces que je me sens moins d'amertume dans le cœur. Ce qui était doux? Simplement de le voir et de sentir que je suis son unique petite amie! Moi je suis un peu timide, j'ai peut-être l'air froide, mais il doit deviner. Et l'autre soir, quand je lui fis des excuses, ou plutôt des protestations contre maman, il a dû voir que j'avais l'âme toute remuée et il doit bien savoir pourquoi!

5 janvier

Encore un petit tête-à-tête avec Maurice. Beaucoup de doux dans l'âme et il faut que cela dure long-temps, car il part demain et c'est bien fini, les petites entrevues.

Je ne *puis plus* lui dire «tu», et je suis toujours très intimidée — il a tenu ma main dans la sienne quelques secondes et j'étais étrangement émue. Et quand je pense à lui, je vis dans un autre monde, où je ne suis ni seule, ni triste, ni méchante! Oh! être méchante, avoir le cœur rempli d'amertume, avoir envie de faire mal comme les autres nous en font! C'est la pire des souffrances!

Je me fais illusion peut-être quand je me crois capable d'être infatigablement bonne avec ceux que j'aime et qui m'aiment. Jamais je n'ai eu dans mon cœur un mouvement d'impatience, une pensée de critique ou de reproche pour mon petit père! Je le trouve parfait, et jamais une ombre n'a passé non seulement sur mon affection, mais sur mon admiration pour lui! Je n'ai pas cette perfection de sentiment pour Maurice. Je le juge, lui! Quelquefois il m'agace, et je jouis de lui faire sentir que je suis bien indépendante de lui, que je ne ferai que ce que je voudrai, quand même il voudrait le contraire. Et en faisant ainsi la maussade, je finis par en avoir de la peine, si ses chers yeux deviennent très sérieux, s'il fronce le sourcil, et surtout s'il a l'air triste! Mon cœur fond alors, et n'étaient ma timidité et toutes les bêtes lois de convenance, je lui passerais mes bras au cou, et je lui dirais que, toute vilaine que je suis, je l'aime bien, et que si ce n'est pas plus que tout, c'est beaucoup! C'est bon à écrire – – mais jamais, jamais je n'aurais le courage d'être aussi sincère et *moi* que cela!

Heureusement! Car toutes les personnes «*comme il faut*» me honniraient! M. Prince aurait envie de m'étrangler, quand mes bonnes amies, les vieilles filles de l'endroit, lui raconteraient cette inconvenance!... et Maurice lui-même mourrait peut-être de saisissement! Devant toutes ces terribles conséquences, je me refourre doucement dans ma coquille

et plutôt que de réparer mes sottises de cette façon...
primitive, je vais essayer de n'en plus faire !

Il est parti ce matin et j'ai de la peine un peu, tout de
même, tout en éprouvant un vrai soulagement à l'idée
*that all will run smooth in my conscience when I shall
act no lies.*

Voilà qui est drôle, j'ai écrit en anglais sans y penser. Je lis tant d'anglais qu'il m'arrive souvent de penser en anglais. Je suis distraite aussi, il faut me
l'avouer quoique je tente de le nier quand on m'en
accuse.

Je n'ai pas ouvert mon cahier depuis longtemps. Je me
sens stupide et figée. Le peu d'intelligence que j'ai à
dépenser va pour suivre ma classe tant bien que mal,
plutôt mal. Je me dis, pour m'excuser, que je suis
encore faible... c'est possible, mais, il est «*sûr et
çartain*» aussi que je suis *ben* paresseuse, et que je
passe beaucoup de temps à flâner en rêvant. Il serait
temps de me secouer, je vais devenir sentimentale
comme V. qui fait des vers en regardant la lune et... en
mâchant de la gomme, la vulgaire fille !

La maison est pleine de monde, d'étrangers,
d'amis et de parents ! — tous les dominicains[1] ne font

---

1. Les dominicains dirigeaient la paroisse Notre-Dame de Saint-
Hyacinthe depuis le 5 octobre 1873.

qu'un rond entre le couvent et la maison, pour présenter leurs hommages, etc.! Je ne les connais pas, et je les fuis avec enthousiasme. Pourquoi, je n'ai jamais pris la peine d'y penser... probablement parce qu'ils ne s'occupent pas de moi! Ah! Ah! on te perce à jour, duchesse de carton!

Au fait, c'est possible, mais c'est bien vrai qu'ils me font peur et que je leur suis reconnaissante de ne pas me voir.

18 janvier

Pauvre petit cahier à moi, pris, abandonné et repris, toujours prêt à m'écouter et qui semble parfois un vrai ami, tant je me sens mieux après mes griffonnages.

Des nouvelles de Québec hier. Il travaille beaucoup, sa lettre est sérieuse et pas... enfin, on le sent d'une gravité un peu triste qui me fait de la peine. Je suis d'ailleurs dans une phase sombre: j'aurais besoin d'être secouée rudement, je m'amollis, je me traîne! Personne ne le fera, parce que personne ne s'occupe de moi. Je file tout doucement mon chemin, essayant de ne pas attirer l'attention. On est d'ailleurs très agité et occupé d'autre chose! La maisonnée est en *branle* à propos d'un concert de charité: ce sont projets formés et abandonnés, énoncés et discutés avec un tintamarre ahurissant!

Moi j'habite mon ciel, très loin de cette agitation mais très loin aussi de la distraction que ces préparatifs procurent aux gens d'en bas. Tout me paraît gris.

146

Mes études même m'intéressent peu — il y a cette algèbre qui m'horripile et que je serai toujours trop bête pour comprendre!

Heureusement, la musique me console quelquefois – – mais même elle, la douce, me jette dans de grands découragements! Je joue si peu comme mon rêve... enfin je travaille de mon mieux et je trouve, à certains moments, une jouissance exquise à jouer des romances de Mendelssohn qui me vont droit à l'âme pour la faire vibrer, chanter ou pleurer.

31 janvier

Abandon encore, pauvre petit confident. J'ai peu de temps, beaucoup d'ouvrage, pas grand'chose à dire, peut-être, quoique j'aie la sensation d'avoir le cœur plein à déborder!

Si au moins le soleil pouvait briller bien clair et nous réchauffer un peu et nous donner l'espoir d'un printemps qui paraît encore si loin!

Je ne l'aime pas, M. Prince! Pas du tout! C'est un bon bonhomme, trop curieux, sans malice... et sans... flair! Ah! ça surtout! Il sait mieux se moucher bruyamment dans son mouchoir rouge que confesser des jeunes filles! Je crois même qu'il ne soupçonne pas l'existence d'êtres comme nous! Pour lui, il y a des prêtres, des religieuses, des vieux parents, peut-être des garçons? Pas *ben* sûr! C'est assez peu drôle la vie!... *Ma* vie!

C'est bon de rire comme je l'ai fait aujourd'hui ! J'ai été absolument folle et en l'air, la classe en a été bouleversée — toutes ont fini par être aussi espiègles que moi, et Sœur du Précieux-Sang, enragée ! Elle parla de punition. Alors, joignant les mains, comiquement suppliante : «Attendez pour punir, ma Sœur, je n'ai pas fini mes singeries, je n'en pouvais plus, vous savez, depuis si longtemps je n'avais pas ri de bon cœur !» Elle fit un petit discours calmant et tout se finit en douceur.

Puis, avant mon départ, elle m'emmena dans la classe et essaya de me confesser.

— Je m'aperçois bien que vous êtes triste, mon enfant, et je voudrais tant vous faire du bien, ne pouvez-vous vous ouvrir un peu à moi, cela vous aiderait peut-être, et franchement, avec vos pauvres yeux chercheurs et tristes, vous me faites souvent pitié. C'est pourquoi je n'ai pas puni vos dissipations d'aujourd'hui, vous aviez besoin d'une détente. Dites-moi, ma petite enfant, ce qu'il y a, là et là — montrant le front et le cœur.

— Je serais bien en peine de vous dire ce que je ne sais pas... on me dit à la maison que je ne suis pas raisonnable, que je vis dans les étoiles, que j'ai une sensibilité exagérée – – moi je ne sais pas – – je ne sais qu'une chose, c'est que je trouve la vie un peu triste, que bien peu de choses et de gens me satisfont, que je suis aussi mécontente de moi que des autres, et que je... m'embête !

Elle sourit, fut très bonne, parla très joliment sans dire grand'chose, et me renvoya soulagée d'avoir dit... pas beaucoup, peut-être, mais enfin d'avoir dit ce qui l'aidera à me comprendre. Et dire que c'est celle que j'aimais le moins! Ça montre que je me trompe souvent dans mes jugements, et comme je ne suis pas entêtée, je me déclare à moi toute seule que je crois bien possible de l'aimer un jour, parce qu'elle est bonne, je ne l'avais jugée que fine, et du fin tout seul, c'est sec pour une moi!

8 février

Une mauvaise semaine – – une semaine de vertu! Et j'en suis toute brisée et dégoûtée même du nom! Vertu! C'est un nom bête, une chose... difficile et... Bonté! que je suis stupide ces jours-ci!... Le jour de ma fête j'ai reçu une lettre de Maurice. Il ne devrait pas m'écrire... il s'en excuse trop gentiment pour que je lui en veuille! Depuis ce jour, j'ai écrit chaque soir une lettre que je déchirais le lendemain, parce que j'ai promis à maman de ne pas lui écrire. Je la déchirais le matin, et le soir je recommençais dans un grand accès de révolte contre cette autorité un peu tyrannique. J'en ai déchiré quatre, puis ce soir je me suis décidée à ne plus céder à la tentation de lui écrire, demain je l'enverrais, peut-être, cette lettre, et je ne veux pas manquer lâchement à ma parole. Jos m'a dit hier:

— Veux-tu mettre un mot au crayon au bout de ma lettre?

— Non!

— Tu vas lui faire de la peine!

— Non, il sait que je ne puis lui écrire. Dis-lui merci pour ses jolis souhaits et mes meilleures amitiés.

— C'est tout ?

— Oui!!!!

Pas quatre, mais un énorme soupir, qui fit rire Jos et moi aussi!

Après ça, j'attendais la joie qui est censée entrer dans le cœur des gens vertueux! Je t'en fiche! C'est de la blague ça, et j'ai même parfois regret, non d'avoir *bien* agi, mais d'être ainsi faite, que j'aurais été si malheureuse si j'avais *mal* agi.

10 février

Journée d'émotion! D'abord Jos m'a donné le portrait de Maurice avec un tout petit mot, un bon petit mot que je ne puis lui reprocher dans mon cœur. Et son portrait – – – c'est bien lui... le *lui* des autres, grave, digne, froid. Mon *lui* à moi ne sera jamais reproduit que dans mes yeux quand nous sommes seuls! La tendresse de ces yeux bleus là, quand ils sont tendres! Je le regarde souvent, mais je ne puis le laisser sur ma table, il ne faudrait pas risquer une telle inconvenance ici! On n'a aucune objection, par exemple, aux lettres de mon cousin! J'en reçois une ce soir... si je la montrais à maman, elle en aurait chaud tant elle est... chaude! Gustave m'avait écrit pour ma fête, et comme sa lettre était restée sans réponse, il m'écrit ce soir des reproches et des... folies!

Fiez-vous aux hommes ! Il m'avait promis de ne plus me parler de ses sentiments, il en écrit plus qu'il n'a jamais dit — je ne suis pas là pour rire de lui, ou me fâcher et le faire taire, aussi, il file sur un train !

Au souper — on apporte la malle, maman fait la distribution :

— Une lettre de ton cousin, je crois.

— Tiens ! encore une !

— Avais-tu répondu à la dernière ?

— *Ben* non ! je n'écris pas aux jeunes gens, moi !

Elle fit semblant de n'avoir pas entendu.

13 février

Ça va pas mal ! un petit train-train un peu monotone et endormant — ça me repose de mes agitations dernières. Je me suis remise un peu sérieusement à mes études et me voilà encore intéressée. Si je pouvais retrancher les chiffres du programme, ce serait charmant.

Sœur du Précieux-Sang s'occupe aimablement de moi – – je sais que je ne suis pas aussi gentille que je le devrais avec elle. Ce n'est pas tout à fait de ma faute. Ma timidité, mon orgueil, ma réserve, voilà une trinité de maux qui s'opposent aux *abandons* de ma part !

18 février

Jos a reçu une lettre qu'elle refusa de me montrer.

— Il a eu un gros rhume, il est mieux, me dit-elle.

— C'est tout ?

— Oui tout ! fit-elle en pirouettant pour repartir.

Je n'y ai plus fait allusion, à cette lettre, mais j'ai été distraite en classe, et un peu tourmentée, mais avec Jos, j'ai été gaie et insouciante, elle aurait pu croire, autrement, que je voulais l'attendrir. On a son petit orgueil, Nouz-autte !

La vie est compliquée et par de bien petites et mesquines choses ! Un caprice, le vent qui change ! Je suis fatiguée, moi, bien bien fatiguée de tout ! Je ne voudrais pas mourir, c'est trop effrayant ! mais si je pouvais dormir bien longtemps, jusqu'à ce que le prince Beau Minou vienne me réveiller ! Ah ! mon prince, vous êtes loin, et on ne veut pas que je m'endorme !

23 février

Je ne suis pas en disposition de faire des phrases, je suis fâchée ! Au fond, ce devrait être contre Jos, qui dit et fait des bêtises, eh bien ! je lui en veux moins qu'aux religieuses, qui ont dû lui fourrer ces idées croches dans la tête.

Ce matin encore, elle me montra une lettre de Québec. Au lieu de remarquer la lettre :

— Tu as la même maladie que l'année dernière, Jos, tu devrais faire attention, c'est périodique !

— C'est-à-dire, *ma chère*, que je me trouve en conscience d'encourager ton extravagante affection pour Maurice.

— Extravagante toi-même ! fis-je très dédaigneuse.

— Nie donc, que tu l'aimes, Maurice !

— Je n'ai rien à nier, ni à avouer. Garde tes lettres, je ne te les ai jamais demandées, et garde tes conseils, je ne les accepte pas. Garde ton frère s'il en a besoin et fiche-moi la paix! — tout cela sur un ton un peu plaisant et en la regardant malicieusement.

— Dis donc, fit-elle, câlinement, l'aimes-tu beaucoup?

Je la regardai, sans répondre, toujours taquine.

— Réponds... rien qu'à cette question!

— *Ma chère*! d'une façon extravagante!

— Moqueuse!

— Je te conseille de ne pas encourager cette incommensurable affection, et de soigner ta petite conscience! — et je riais comme une folle.

Sans se décourager, me prenant le menton:

— Dis-moi, si tu l'aimes beaucoup?

— Tu es donc sourde! Je me tue à te le crier!

Elle renonça aux aveux, m'offrit la lettre que je refusai poliment, comme on refuse une invitation qu'on a l'intention d'accepter... et je l'ai, la petite lettre où il sermonne Jos, parce qu'elle ne lui parle pas de moi dans toutes ses lettres.

Encore une crise de conscience traversée, *miss* Jos! Si au moins je n'en souffrais pas, je m'en ficherais de ses scrupules!

Moi, je sais plus sûr que cela! Une chose qui est mal le lundi l'est toujours et je la fais quand même sachant qu'elle est mal, ou je l'évite... dans mes crises de vertu! Là encore, c'est moi qui en souffre. Et dire qu'on me gronde quand je dis que la vie est bête! C'est pourtant *ben vrai*!!

J'ai trop d'ouvrage, je ne trouve pas le temps d'écrire, il faudrait négliger ma classe et... *ben*, j'ai trop de conscience ! C'est triste à dire, mais c'est comme ça !

Je vieillis, c'est évident, je n'ai plus quinze ans depuis un mois, hélas ! hélas ! Aujourd'hui, j'ai le rhume, je me dorlote et je fais la paresse, et je trouve cela bon, et vrai, j'aimerais à passer ma vie, blottie dans mon fauteuil, près d'un bon feu, avec Dickens ou Walter Scott ! – – mais ce dernier est bien senti-mental, et on est moins *amis* avec ses personnages. On les sent des êtres d'imagination. Ceux de Dickens ont vécu, ils sont si vrais, si humains, si de tous les jours !

Je m'interromps pour constater que j'écris déplo-rablement comme griffe et comme style... Sœur du Précieux-Sang serait horrifiée — je garde mes cise-lures pour elle, mes abandons et mes petits secrets, ma révérende, sont pour moi toute seule !

Quoi qu'a dirait de mes secrets, de *mon* secret, que je ne dis à personne, et qui devient petit à petit mon grand trésor, la source de mes joies et le sujet de mes rêves ?

Il neige, c'est triste, le vent est lugubre et j'ai bonne envie d'aller dormir pour oublier le froid et le triste de cette fin d'hiver. Oh le printemps, les ciels bleus, le beau soleil, reviendront-ils jamais !

J'ai fini de soigner mon rhume, je perdais trop de temps — je suis allée en classe aujourd'hui. — À la récréation, Jos me dit :

— Tu prieras pour moi, veux-tu ?

— Oui, comme d'habitude, je prie tous les jours pour toi, ma petite Jos, je…

— C'est d'une manière spéciale que je te demande de prier.

Elle avait l'air sérieux, une crainte m'étreignit le cœur :

— Maurice est malade ! dis-je en lui saisissant le bras, vite, vite, réponds, Jos ! — et je la secouais, sans trop savoir ce que je faisais.

— Mais non, petite folle, il ne s'agit pas de lui, ma parole !

Je la laissai pour cacher mon émotion et ma confusion. Dieu ! que j'ai eu peur ! et que j'ai été stupide de le cacher si peu.

Après le couvent, Jos, qui est chez elle pour quelque temps, vint faire une promenade avec moi. Il faisait doux et gris comme j'aime. Elle voulut parler de la petite scène du midi — je ne lui répondis pas.

— Petite bûche, va ! pourquoi gardes-tu tout pour toi ? je sais bien que tu l'aimes, va !

Je ne répondis que quand elle parla d'autre chose. Oui je l'aime bien, mais il a dit plus que tout, et je ne l'aime pas plus que tout ! Je m'applique à penser à lui le moins possible. Cela me distrait et m'empêche d'être toute à mes études, et je veux apprendre, et savoir et être un jour assez instruite pour qu'il s'amuse avec moi comme si j'étais un garçon! J'aurais dû être un garçon, je suis manquée en fille!

Pourquoi je prends mon cahier quand j'ai une masse de travail à faire? C'est que je suis moins seule avec mon petit confident tout près... et ce ne serait pas gentil de ne pas faire un bout de causette, je travaille-rai après. Nous sommes en examens. Je suis un peu fatiguée et je dors mal. Je me laisse énerver par cette idée d'examens. Ça et la confession! C'est réussi comme embêtements!

Je vois Jos depuis qu'elle est chez elle, — elle y passera encore une dizaine de jours. Je ne lui parle pas de Maurice — elle non plus, c'est un sujet banni de nos causeries. Pourquoi? Parce que je la sens un peu moqueuse et taquine et que je ne puis endurer de l'entendre sur ce sujet sans être crispée.

Non, plus je vais, plus je m'assure que c'est mieux de se livrer aux autres le moins possible. On n'est pas compris, mal jugé, froissé souvent... si elle était mon amie et ne fût pas sa sœur – – – d'ailleurs, je n'ai rien à en dire. Je ne permets pas les questions aux autres, et même, je m'en fais peu, étant un peu incapable d'y répondre.

Maman a été longtemps absente. J'ai honte de le dire, mais je le dis à moi toute seule, j'ai *joui* de son absence. Je me suis sentie si calme, si bonne, si tranquille.

J'ai étudié avec rage, avec acharnement, je suis à peu près prête pour mes examens, mais un peu morte de fatigue. Je voudrais être plus forte, je ne sais pas résister à une fatigue un peu prolongée. L'hiver s'en va, toute sa blancheur et sa grâce disparues dans l'affreux dégel noir! Comme il faut les gagner les ciels bleus!

Il faut tout gagner! le succès dans les études, la paix dans sa chambre, les petits bonheurs qu'on nous dispute, tout, tout! Et on se gâte l'humeur dans la lutte...

Les examens commencent demain — en voilà pour une quinzaine hélas!

9 avril

C'est presque un abandon, mon cher journal, moi qui t'aime d'amour tendre, cher miroir de mes imperfections!

Depuis quelques jours j'attends Maurice. Je n'ai pas fait de questions à Jos, qui les attend, peut-être, pour me renseigner.

Alors je ne sais rien. Je suppose qu'il passe ses vacances de Pâques ici — ce qu'elles dureront, ou le jour de l'arrivée, tout cela, je l'ignore! Ça paie, d'être orgueilleuse comme moi au moins! Pauvre petite moi, va!

Si Jos m'aimait bien, comme je l'aime, moi, elle devinerait que je suis curieuse, et elle ne pousserait pas la taquinerie si loin! C'est peut-être mieux ainsi, elle me froisse un peu, de sorte que je serai toujours d'une extrême réserve avec elle en tout ce qui concerne son frère.

Il me semble que Maurice et moi nous éloignons l'un de l'autre – – – nous finirons par être des étrangers si nous nous voyons dix minutes par année. Est-ce que je l'aime beaucoup ? Vrai, vrai, je ne le sais pas bien.

Il se refait en moi un sentiment très complexe pour lui ; il y entre beaucoup de timidité, beaucoup de réserve, une grande crainte qu'il croie que je m'en occupe beaucoup, tout cela m'éloigne un peu de lui, d'un autre côté, le souvenir de ses yeux ou de sa voix m'émeut ; je l'admire, j'ai confiance en lui, je... oui, je l'aime, je l'aime bien, mais... Chaos ! Chaos !

17 avril

Je suis folle, j'ai barbouillé deux pages la semaine dernière pour dire que je n'aime pas ou que – – – enfin c'était bien embrouillé, bien bête et pas vrai. Je l'aime, parce qu'il est mon ami, mon seul, et que je suis sa vraie petite amie, et mes vagueries et mes midi à quatorze heures sont des bêtises ! Je continue à être juchée sur mon orgueil et à ne rien savoir par Jos. Comme le ciel est clément et doux en ces beaux jours d'avril, il m'est venu des renseignements d'une source étrange. Gustave, qui m'écrit avec une belle persévérance, fait allusion au plaisir que j'aurai à voir Maurice cette semaine. Alors — je l'attends plus que jamais ! La figure de maman est triste dans son allongement. Maurice est sa maladie du printemps comme il l'a été l'hiver dernier !

Il n'y a réellement rien autre chose à faire qu'à m'en ficher et... *ben*... je m'en fiche, bien à regret, mais que faire ? Puis-je empêcher Maurice de venir ici... et quand il est ici puis-je lui dire : « Monsieur, ne me regardez pas, ma mère ne le permet pas » ? D'ailleurs, elle l'invite ici chez elle avec les autres – –

Bah ! je perds de belles minutes à écrire des inutilités, preuve que j'ai des loisirs et que mes examens ne sont plus un supplice en perspective.

Il fait beau, idéalement beau, le joli ciel bleu, les arbres où on devine le jeune vert qui arrive ! Je me sens vivante, prête à *reverdir* et à chanter aussi, et à briller et à être heureuse !

Cher printemps jeune, gracieux et bien discret encore ! — c'est une jeune fille, ce printemps, il n'a que seize ans et nous laisse à peine deviner tous les secrets renfermés dans ses âmes d'arbres, de ciels et d'oiseaux !

18 avril

Maman avait une lettre très pressée à porter à la gare ! Une lettre dominicaine même ! Alors j'offris gentiment d'y courir et j'y rencontrai Maurice qui est arrivé la nuit dernière. Je revins avec lui – – nous marchions lentement mais les minutes couraient ! Le son de sa voix comme je l'aime, et que c'est triste de le voir comme ça à la dérobée pour si peu !

Il m'intimide maintenant. C'est fini de mes allures d'enfant – – je suis gauche et j'ai le cœur si ému quand je parle, j'ai peur qu'il ne le devine. Tout cet émoi pour des presque banalités, et – – –

N'importe, je suis bien heureuse ce soir — il me semble que Saint-Hyacinthe est rempli de gens aimables et qui m'aiment, et dans ma grande chambre, je ne suis pas seule; ma joie est accrochée à toutes les mousselines, aux dorures des cadres, aux tranches des livres, et tout ça brille, reluit et sourit. Si je l'aime ? bien sûr je l'aime et de tout mon cœur aussi! Il n'en demeure pas moins tout aussi certain que j'aurais préféré être un garçon et son meilleur ami. Comme ça aurait simplifié bien des choses !

Ce soir au souper maman me dit:

— Maurice est arrivé hier soir, paraît-il.

— Oui, (ma voix était tremblante et j'avais un air aussi insouciant que possible) je l'ai vu aujourd'hui.

— Pour lui parler ?

— Oui.

— Longtemps ?

— Pas compté — fis-je raidement et d'un ton si peu engageant que les questions cessèrent.

Encore une grossièreté à mon crédit. Je m'ai en horreur quand je ne suis pas polie... mais l'exaspération où me met un interrogatoire... public nuit aux jolies manières, ma chère madame!

Ne pensons pas à elle, ne nous crispons pas, ma petite âme, replongeons-nous dans le calme de notre amitié dont c'est l'un des beaux jours !

Il m'a regardée avec des yeux chercheurs et très doux — nous ne nous sommes pas touché le bout du doigt – – il m'a dit «ma petite Henriette», une fois, en me laissant – – – j'ai dit *vous*, lui a dit *vous* en m'abordant, puis *tu*, comme d'habitude. Ça a duré cinq minutes et j'attends ces cinq minutes-là depuis trois mois et demi! C'est fou... c'est *ben* possible que ce soit fou, mais c'est bon, aussi!

J'ai salué Maurice sur la rue, hier : il était avec Eugène[2] ; aujourd'hui c'est jeudi, j'espérais sortir un peu dans l'après-midi, mais Auguste est venu! J'en aurais hurlé si j'avais écouté mes instincts féroces. Je me suis contentée d'être maussade et capricieuse.

Après son départ, maman remarqua qu'Auguste n'avait pas dû s'amuser avec moi.

« Je l'espère bien, et qu'il ne reviendra plus! Ne peut-il lire ou sortir avec ses amis ses jours de congé ? Dans tous les cas, si tu l'invites toujours à venir ici, moi je ne lui tiens plus compagnie !... » puis éclatant d'un rire très gai : « D'ailleurs M. Prince, qui est son professeur et mon confesseur, est tout à fait opposé à ces tête-à-tête. » Maman rit et ne répondit pas. Ô sagesse des vieux! Je vous tire ma révérence, c'est tout ce que vous aurez comme témoignage d'admiration.

Malgré mes... *épreuves*, j'ai le cœur bien joyeux et tout léger ce soir! Je vois *sa* lampe, à peine, comme une petite étoile et elle me dit, la petite lueur, que mon ami est à quelques pas, et qu'il est mon ami même quand nous ne nous voyons pas. Cela suffit parce que je ne suis ni exigeante ni gâtée. Ah! non!

---

2. Eugène Sicotte, né en 1858, fils de Louis-Victor Sicotte et de Marguerite-Émilie (Amélie) Starnes.

Ça surtout! Mais... un jour viendra où je serai gâtée et aimée et jamais seule, plus jamais!

21 avril

J'écrivais à ma table de travail bien loin de *la* fenêtre (j'en ai trois!) quand maman entra pour me faire essayer une robe. Elle alla à la fenêtre pour la fermer et vit Maurice, paraît-il, moi je ne l'ai pas vu et je ne le savais certes pas là!

— Est-ce Maurice dans sa fenêtre?

— Je ne le sais pas.

Elle fit l'essayage avec la figure longue, et la conversation en resta là. Oh l'ennui! Croit-elle que je parlerais à Maurice ou même que j'oserais lui faire un signe! Et c'est *cela* qu'elle soupçonne! et elle m'épie!

Je sortis avec Alice plus tard, dans l'après-midi. Au coin, en revenant, rencontre avec Maurice qui me dit bonjour et auquel je répondis en ralentissant mais sans m'arrêter malgré sa prière. En arrivant:

— C'est Maurice que vous venez de rencontrer?

Je filai en haut sans répondre, laissant ce soin à Alice, j'étais si indignée que j'en tremblais! Que c'est petit! C'est de la tracasserie pure, cela! Quel bien me feront ces ennuis? Est-ce dans l'intérêt de mon bonheur, dont on parle si bien, qu'on s'applique à détruire ma confiance et mon estime?

Je voudrais me sentir moins d'amertume dans le cœur, mais ces petitesses me révoltent!

Pas même rencontré Maurice mais reçu de lui une chère lettre, où il n'y a ni amertume ni récriminations. Il est meilleur que moi! Il me dit qu'il n'attend pas de réponse et qu'il ne m'en demande pas. Comme il est loyal et délicat, et comme je respire à l'aise après l'avoir lue, la douce et gentille lettre.

Je voudrais oublier les soupçons humiliants, l'espionnage, la malveillance injuste, toutes ces laideurs qui me dégoûtent!

Je ne veux penser qu'à notre amitié si grande, si confiante, si délicate, elle me rend meilleure; ce serait laid, de la rancune dans tout ce rayonnement qui m'illumine l'âme, et ce soir je demande au bon Dieu de m'aider à pardonner à maman son injustice et ses soupçons que je n'ai pas mérités.

25 avril

Il partira demain et, vrai, j'en suis presque contente! Me faire épier et soupçonner ainsi, je deviendrais enragée dans huit jours!

J'ai rencontré Maurice sur la rue. Il était avec un ami, je ne sais qui, je ne voyais que lui.

Nous sommes en grands préparatifs au couvent pour l'arrivée des Mères Saint-Maurice et Saint-Marc[3]. Je serai pensionnaire pour une quinzaine parce que je tousse et que je ne devrais pas sortir à l'humidité.

Je laisse mon journal ici. Je suis heureuse de ce changement. Ici je me sens étouffer.

Je garde dans mon cœur une impression triste du séjour de Maurice ici. Toutes les joies rêvées se sont changées en amertume et dans toute l'honnêteté de ma conscience je ne crois pas avoir mérité les soupçons malveillants de maman. Je ne veux pas être, moi-même, injuste ou méchante, et pour y réussir il faudrait effacer de ma mémoire ces derniers dix jours !

12 mai

Revenue à la maison ce matin un peu malade, et assez indifférente au changement d'habitation. Ici, au couvent, c'est partout moi que je retrouve et je suis une bien vilaine moi, peu réjouissante et aussi déraisonnable que possible. Je passerais ma vie à décrocher des étoiles et hélas, quand je me figure en saisir une petite brillante elle me glisse entre les doigts et s'évapore sans laisser de traces, et moi je pleure sur chaque désappointement comme si on m'arrachait un morceau de cœur.

3. La supérieure générale des Sœurs de la Présentation de Marie et la supérieure de la maison de Saint-Hyacinthe, qui arrivaient de France.

Pour me rendre sage et pratique on me sermonne et on me gronde si je parais distraite et détachée des laideurs plates qui remplissent ma vie.

14 mai

Plus malade — l'inutile docteur est venu me faire tirer la langue et prendre ma température: «Inutile, docteur, j'ai de la fièvre toujours!» C'était vrai pour ce soir. Il m'ausculte, il prend l'air important! Le ridicule homme! Je ne l'aime pas, oh! je ne l'aime pas!

«C'est le printemps pluvieux et froid», dit-il. Oui et si ce n'était pas ça, ce serait autre chose, car je sens que j'ai la gorge d'une extrême délicatesse et que tout me fait mal, le vent, la pluie, la poussière — oh! l'horrible poussière! Et dire que nous sommes poussière! C'est un peu difficile à croire, que mes yeux sont faits de poussière, et j'ai beau les regarder minutieusement, ils semblent faits de plus jolies choses!

16 mai

Je me lève et je descends pour mes repas, mais je me sens malade! Rien ne me fait rien.

Je ne puis lire, ni faire de la musique, ni causer, ni même penser sans fatigue. Je pleure pour une paille en croix et je dors quand je le puis.

On va m'envoyer au bord de la mer quand je serai un peu plus forte. Ce projet de voyage me laisse insouciante, moi qui ai tant désiré voir la mer quand je ne le pouvais pas! Horrible petite fille va!

Jos vient souvent me voir — elle me parle un peu de Maurice. Je l'écoute sans faire ni remarques ni questions. Hier elle me dit:

— Je crois bien que l'étoile de Maurice décline et que tu t'en occupes peu!

— Tu crois? fis-je languissamment.

Elle se mit à rire.

— Oui, fit-elle taquine, tu te seras aperçue que c'est un homme et non un Dieu, comme tu as vu que j'étais pétrie d'argile!

— Que veux-tu dire?

— Que tu me juges et m'analyses trop pour m'aimer autant qu'avant!

Je ne répondais pas. Elle insista.

— Réponds, sage de seize ans! Quand tu seras vieille comme moi, tu auras appris qu'il faut prendre les gens comme ils sont!

— Mais quand ils se font voir à nous pires qu'ils sont, comme toi, affreuse petite Jos!

— Alors il faut les deviner et les percer à jour.

— Ce serait plus simple pour eux d'agir *simplement*.

18 mai

Henriette Durocher est venue me voir. J'étais dans ma chambre sur le sofa tout énervée encore d'une nouvelle auscultation et peu disposée à être taquinée. Aussi lui en ai-je fait une sortie.

Elle amena le nom de Maurice dans la conversation et voulut badiner sur mes sentiments pour lui: «Ne m'en parle plus *de ce garçon*, tu m'ennuies! Ne peux-tu trouver un autre sujet de conversation. J'en ai les oreilles rebattues!»

C'était amusant de voir son saisissement. Je fis mine de m'excuser de ma petite violence, en mettant tout sur le large dos du pauvre docteur, et la conversation continua paisible, et, de sa part, *respectueuse*.

25 mai

Tous les jours, Jos arrive en courant, après la classe, et me distrait une demi-heure, puis elle repart, me laissant un peu de son animation et de son énergie. Comme elle est vivante et que je voudrais, mais non, je ne veux pas être elle... elle est intelligente, bien plus que moi, elle a une force de caractère étonnante, mais elle n'a ni tendresse ni ardeur. Elle raille et rit de ce qui me fait pleurer, elle prétend ne pouvoir jamais aimer – – elle parle des siens avec une indifférence qui n'est pas jouée, et j'aime mieux être moi, passionnée, aimante, impressionnable et faible!

4 juin

Quel orage! tout est secoué et semble devoir être arraché. C'est superbe, et je me sens toute petite et cependant bien confiante en Dieu si grand mais si miséricordieux, ou plutôt miséricordieux parce qu'il est Grand!

Quel bon moment! où je me sens et je me vois croire, où je suis comme sortie de moi et en présence de Dieu. Que je voudrais vivre ma petite vie en votre présence toujours, Seigneur!

Je vais un peu au couvent, je m'ennuyais tant à la maison, mais je travaille peu, et mon année ne vaudra pas beaucoup j'ai peur. Cette grande faiblesse persiste, et même mes parents ne se doutent pas de l'énergie qu'il me faut employer à certains moments, pour ne pas m'étendre, fermer les yeux et ne plus bouger.

Je partirai pour la mer du côté de Portland, au commencement de juillet, avec le docteur Malhiot et sa famille. Comme j'ai hâte de la voir cette mer dont j'ai rêvé!

Jos me dit que son frère ne reviendra de ce côté qu'en août — il doit aller à Kamouraska, chez sa tante, pour le mois de juillet. Je vois ses lettres à Jos qui a pitié de mon orgueil ou qui est fatiguée de taquiner. De jolies longues lettres, on le sent très ardent à ses études, satisfait et heureux. Que le bon Dieu le bénisse et le protège et qu'Il le garde aussi bon qu'il est intelligent. Et pour moi? Je ne sais trop — c'est comme s'il s'éloignait dans le vague, comme si tout notre joli passé était très loin. J'y pense très doucement mais bien tranquillement, et si Jos ne me passait pas ses lettres, je n'en souffrirais pas!

Est-ce contradiction... suis-je insouciante parce que je suis faible? Je ne sais trop. J'y pense peu et cela sans m'y forcer comme déjà!

Je renonce à me traîner au couvent — à quoi bon en savoir si peu plus, si je dois mourir... car cette idée me vient souvent quand je me vois changer si rapidement. J'ai dit au docteur hier:

— Dites donc, vous, allez-vous me guérir, ou bien m'expédiez-vous dans les étoiles bientôt?

— Veux-tu te taire! tu n'es pas malade — c'est de la faiblesse!

— *Ben*, si je ne suis pas malade, je serais curieuse de voir *comment* on est malade! Savez-vous que je ne puis plus me coiffer seule?

— Trop de cheveux, grogna-t-il, faudrait les couper!

Je me pris la tête à deux mains.

— Jamais, vous m'entendez, jamais! Vous m'enterrerez avec mes cheveux!

— Ta, ta ta, je t'envoie à la mer et aussitôt que possible, et tu reviendras grasse et bien forte, tu entends, fillette?

— Tant mieux, car j'ai beau ne pas être malade, docteur, je n'en puis plus de vivre si peu! — et de grosses larmes descendirent malgré moi, et le lâche docteur se sauva.

Et je pars bientôt et en attendant je ne remue plus, je suis trop trop fatiguée!

C'est donc bien vrai et je partirai la semaine prochaine pour aller très loin, un vrai voyage, aux États-

Unis, et je verrai la vraie mer, et je m'y baignerai! Quoique molle et paresseuse, je me berce doucement dans ce beau rêve et quand il me vient une grande frayeur que ce ne soit qu'un rêve, j'écoute les propos à la maison; je regarde le joli costume de baigneuse et les gentilles petites toilettes que maman et Rosalie préparent, avec un intérêt qui me gagne, les jours où je ne suis pas alourdie par la chaleur et la fièvre. Car j'ai de mauvaises journées où je me traîne et où rien ne me fait rien.

Je me fais un singulier effet de petite personne champignon; il me semble que mon passé, si peu long encore, est loin, et mon passé c'est un an, trois mois... il ne me tient plus, il est comme un rêve fini. L'avenir, c'est ce voyage en pays inconnu, avec des amis de mes parents, que je connais, mais qui me sont bien indifférents — je ne tiens donc pas, non plus, à cet avenir. Je ne me l'imagine pas, parce que je suis trop fatiguée — je sais que je pars, je suis contente parce que c'est du nouveau, et que peut-être je trouverai dans ce là-bas où on m'envoie cette vie qui me manque et qui me laisse si... si *champignon*, que je suis un peu dégoûtée de moi et de tout. Je dis cela à toi tout seul, cher petit confident discret. On m'a déjà grondée et, oui, ridiculisée, pour avoir dit tout ce si vrai sentiment. C'est ridicule à mon âge de parler ainsi _ _ pourquoi? parce que je suis jeune, paraît-il. C'est peut-être justement pour ça, pourtant, que je m'embête. Je vis dans ma chambre comme une religieuse, et je ne fais jamais ma volonté. Si j'étais plus vieille, et quand je serai plus vieille, j'ai idée que ça changera... et je ne puis croire que tout sera terne et ennuyeux comme maintenant! J'aurais dû être un garçon, et s'il n'y avait aucun moyen de me faire garçon, cher bon Dieu despotique n'aurais-tu pu me faire oiseau? Oh les jolis et les heureux!

Jos se trouve bien à plaindre parce que je pars, et je me trouve à ce propos une bien vilaine petite égoïste, puisque je contemple son chagrin avec... oui, hélas, avec ravissement. Je lui ai avoué hier ce monstrueux sentiment. Elle fut indignée, et moi, lui passant les bras au cou: «Si tu as tant de peine, petite Jos, c'est que tu m'aimes, et j'aime que tu m'aimes.» *Cela* a calmé son indignation, elle a même paru satisfaite. N'empêche que j'ai un cœur laid!

J'apporte mon cahier avec moi là-bas, ce sera mon seul confident car la vieille Louise et la vieille Sophie! et le vieux docteur et madame sa femme[4]! Est-ce amusant de penser que cette collection sera mes compagnons de vie six semaines ou deux mois! Là-bas, heureusement, je trouverai les La Mothe[5].

Le bon M. Guillaume, la solennelle, superbe, glaçante madame! Alice, Juliette et la mignonne Marie.

---

4. Hermine Lamothe et son mari Adolphe Malhiot, médecin à Saint-Hyacinthe. De ce mariage étaient nées cinq filles: Marie (1864), Hermine (1848), Sophie (1849), Louise (1850), Virginie (1855).

5. Guillaume Lamothe (on écrit aussi La Mothe) était le frère de Mme Malhiot (Hermine Lamothe); il avait épousé, à Florence, en 1850, Marguerite de Savoye. Ils auraient eu quatre enfants: Alice, Juliette, Marie («Loulou») et Henri.

Comme je suis malade, mon Dieu, puis-je bien guérir et devenir forte — j'en doute quand je m'éveille
après une nuit comme la dernière, agitée par la fièvre
et tour à tour brûlante et glacée, et le matin on me
lave, on me coiffe, on m'habille, et malgré tout cela, il
faut me coucher sur le sofa et me reposer avant de
pouvoir déjeuner. Je n'ai plus de ressort, d'intérêt à
rien. Que je voudrais ne plus être malade, d'une
manière ou de l'autre, guérie ou morte.

Pauvre docteur insensé, ou menteur comme un
démon, qui dit que je ne suis pas malade! Je croirais
plutôt que je me meurs... L'horrible mot et la triste
chose, mon Dieu, aidez-moi! Je ne veux pourtant pas
mourir – – Mais si Lui le grand bon Dieu le veut et l'a
décidé, cela se fera puisque je suis sa chose — ce
mystère-là est insupportable! Pourquoi nous a-t-il
créés, que lui faisons-nous et que lui importe que
nous soyons ou pas?... Je suis trop fatiguée et ces
pensées tourbillonnent dans ma tête et me font mal,
parce que je ne me sens pas bien bonne au fond.

Orchard Beach. 9 *juillet*

Depuis trois jours ici, je vis dans un rêve, contem-
plant la mer, respirant ce bon air parfumé de varech,
me demandant si je suis bien moi, l'*ex* petite misère,
la petite loque, partie il y a quatre jours de Saint-
Hyacinthe tenant à peine ensemble!

Que tout cela est beau, et que c'est bon de vivre et
de me dire que la vie me revient par toutes ces belles

choses. Mes yeux sont ravis, mes oreilles sont ravies, je ne me lasse pas de la regarder, la belle mer tant rêvée et si plus belle que mon rêve ! Je ne me lasse pas de l'entendre, et le jour et la nuit elle me berce, elle engourdit en moi toute la sourde souffrance, les petites agitations, les inquiétudes vagues qui accompagnaient mon grand état de faiblesse. Et tout ce grand apaisement se manifeste par un sommeil qui m'anéantit le matin, l'après-midi et toute la nuit. Couchée à 9 heures hier soir, je ne m'éveillai ce matin qu'à 9 heures, ayant dormi ces douze heures sans interruption. De mon lit je vois la mer. Je me suis habillée en poussant des exclamations admiratives qui faisaient sourire Mlle Louise entrée pour s'informer de la « petite malade ».

Elle est un peu pincée, cette si petite et si importante mademoiselle Louise ! Alice et Juliette ont leur chambre vis-à-vis la mienne sous la surveillance directe de leur solennelle mère. Elles seront mes compagnes habituelles et nous laisserons Louise et Sophie se faire des mines dans leur glace, changer de toilette quatre fois par jour pour faire la conquête des Yankies !

J'ai passé la matinée avec Alice, nous étions couchées sur le sable, à l'abri d'un rocher, un peu éloignées de l'hôtel... sans causer, sans lire – – à regarder, à écouter, à rêver, dans un état de béatitude absolument ravissant ! Les bonnes heures ! La bonne vie où il n'y a qu'à se laisser vivre dans le beau !

Je viens de faire une superbe acquisition. Une plume toujours prête à écrire, où l'encre ne s'épuise pas. Juste ce qu'il faut pour écrire sans m'enfermer dans ma chambre. Je vis sur la grève !

Pris mon premier bain ce matin. C'est un enchantement et le bon vieux docteur dut gronder pour me faire sortir de l'eau. Je suis brisée, moulue, je n'ai pu nager, je suis si peu forte encore — mais je sais que dans peu de jours je suivrai Alice qui nage comme un poisson.

Je suis en ce moment avec Alice sur un rocher d'où nous voyons très loin, et aussi loin que nous voyons, c'est la mer toute verte, de grandes vagues frangées d'argent et sa continuelle plainte si triste et que j'aime. Je n'entends plus qu'elle en dehors, et elle fait tout taire en dedans aussi. Mon âme est engourdie — c'est à peine si je me sens vivre, ou plutôt je vis d'une vie si idéale, si loin de tout ce qui froisse et de tout ce qui fait mal que je voudrais devenir une petite huître, habitant le sable doré, baignée par la mer verte, sans âme, sans cœur, sans rien que ma coquille jolie !

Je viens de m'interrompre pour répondre à Alice qui s'informe curieusement de ce que j'écris.

— Rien, répondis-je sans me compromettre.

— Dis simplement que tu ne veux pas me le dire.

— Eh bien, je ne veux pas te le dire – – et de plus, ça ne se dit pas – – ce sont des mots, et je n'arrive pas à leur faire dire mes impressions. C'est si beau si beau, Alice, que je remercie dix fois par jour le bon Dieu d'avoir créé la mer... et moi !

— Petite rêveuse, va !

J'ai *voulu* penser à Maurice, mais j'essaie de ne pas céder à la tentation – – cela me remettrait dans *ma* vie et je veux être une huître et heureuse !

11 juillet

Hier, une soirée inoubliable. Très fatiguée, le bon docteur m'avait installée dans une chaise longue sur la véranda, qui ressemble au pont d'un navire. Un clair de lune superbe éclairait *ma* mer féeriquement, elle chantait très doucement, et du côté du salon, un jeune musicien jouait des nocturnes de Chopin dont j'ai joui à en avoir mal. Ça semble une contradiction... c'est ainsi pourtant. J'étais sortie de moi-même ! En laissant le piano, il vint à la porte-fenêtre près de laquelle j'étais étendue. «*Thank you so much, and* do *play again*!» fis-je d'un ton suppliant, oubliant que je ne le connaissais pas. — Il s'approcha et constatant qu'il avait affaire à une enfant il s'assit près de moi et me demanda si j'aimais la musique, si je jouais, si j'étais malade depuis longtemps. Enfin dix minutes de causerie à laquelle Alice vint se joindre et elle lui demanda son nom. C'est un M. Robinson (Henry). C'est un grand nonchalant, très pâle, qui a des yeux tristes et flamboyants, une main très fine et très blanche, un sourire un peu dédaigneux — je le crois malade — il a la voix douce et parle lentement — il ne sait pas le français et je me demande comment un

Anglais peut jouer avec tant d'âme! Car il n'est pas Américain[6]. Il est ici au même hôtel que nous. Il m'a promis de jouer demain matin tout ce que je voudrai. — Mademoiselle Louise me fait un discours pour me prouver que j'ai eu tort de lui parler. Bah! je suis une enfant — et c'est un Anglais!

Malgré leurs cérémonies et leurs minauderies, elles sont très bonnes, et je les aime assez. Le cher vieux docteur grogne avec frénésie: à table, il grogne contre le menu, sur la grève, contre le vent et le sable, et ailleurs contre tout! C'est si amusant! J'ai toujours peur de perdre mon petit air sympathique et d'éclater de rire... catastrophe qui me ferait perdre toutes les bonnes grâces dont je jouis!

Quelle vie de paresse! Ne rien faire de tout le jour que manger, se baigner, dormir, jaser, et rêver! Je suis si mieux déjà!

Reçu une jolie lettre de Jos où je trouvai un souvenir gentil de Maurice qui est à Kamouraska — à la mer aussi, mais la mer froide d'en bas de Québec. Il est si loin, si loin. J'aime trop à y penser pour réussir toujours à ne pas y penser. Comme ce serait joli de le voir ici, de causer avec lui comme je viens de le faire avec ce grand bel Anglais qui daigne être aimable pour Alice et moi.

---

6. Henry Torsey Robinson est né à Hallowell (Maine), aux États-Unis, le 16 décembre 1848. On ne saurait préciser pourquoi Henriette Dessaulles lui attribue la nationalité anglaise, à moins que ce ne soit à cause de son accent du New England ou parce qu'il affectait un accent britannique.

Ce matin M. Robinson me fit jouer, ce qui m'intimida beaucoup, mais je ne me fis pas prier.

Il m'offre de me faire travailler un peu avec lui tous les matins. Il dit que j'ai de l'âme ! (?), qu'en travaillant je deviendrais musicienne. Que tout cela m'a rendue heureuse ! et j'ai accepté avec enthousiasme ses offres de m'aider.

Il a fait très chaud, si j'en excepte l'heure de musique, j'ai sommeillé presque tout le temps, sur la véranda dans un hamac, sur la grève, couchée sur le sable. J'ai fini ma toilette pour le dîner et je griffonne pendant qu'Alice chante le duo de Faust et Marguerite «Je t'adore», etc. —

Adorer un homme ou une femme, cela se fait-il ou bien est-ce une phrase ? Sagesse, en demandant de t'aimer plus que tout (comme tu dis m'aimer, toi) prétendais-tu à un tel culte ? Alors où serait ta sagesse, je n'y croirais plus, va !

Comme *il* est loin de moi. J'y pense quand je prétends sommeiller... Suis-je donc une petite blagueuse et est-ce que j'essaierais de me tromper moi-même ?

Trop de questions, ma mie... ne pense plus à tout cela ! regarde le ciel et la mer, écoute-la chanter, laisse-toi bercer et ne te questionne plus ! À quoi bon te tourmenter ! repose-toi... tu étais si heureuse à tes heures d'huître !

Alice et moi sommes sur *notre* rocher, loin des baigneurs, et respirant un peu. Il fait chaud encore aujourd'hui.

J'ai fait un peu de piano avec mon Anglais. Travaillé la petite romance Mendelssohn «En Gondole» — Monsieur Robinson est curieux de savoir où nous (Alice et moi) passons nos après-midi. J'allais le lui dire, bien simplement, quand Alice intervint et m'en empêcha. J'en suis bien contente maintenant — il voulait peut-être nous retrouver et nous perdions alors la possession exclusive de notre si joli rocher! J'y passe des heures délicieuses... je ne suis plus moi, j'ai des ailes, et en moi des voix qui chantent. Je n'avais jamais senti en moi tant de vie et tant de joie de vivre! Et j'aime Dieu, je le sens là tout près, je le vois, je le touche et tout mon ravissement est une grande et longue prière.

Alice a lu par-dessus mon épaule — elle rit de mes «extases» et m'ordonne d'écrire des *faits*. Quoi par exemple? «Eh bien, notre promenade de ce matin, nos connaissances! parle de moi, dis que je lis la *Revue des deux mondes* en cachette.»

La sorcière! C'est vrai pourtant! Et ce matin notre promenade à Saco, en longeant la mer, a été charmante. Oui, j'ai connu trois Américains, assez ronds d'allures, mais très intelligents et qui ne se croient pas des phénix parce qu'ils savent parler d'autre chose que du temps. Ils se prétendent émerveillés de ma connaissance de l'anglais, de mon accent si pur! Je sais qu'ils me flattent — n'importe j'avale tout gloutonnement au risque de m'étouffer avec leurs compliments.

Voilà qui jure un peu avec mes extases, et Alice rirait encore plus de moi si elle savait ! Avec son nez fourré partout, elle le lira peut-être un de ces jours. Ah ! les phrases ! Petite moi, tiens-toi bien, n'écris que du vrai, ne cultive que du beau et la vanité c'est laid et bien plus, c'est bête !

16 juillet

Rien reçu de Jos encore malgré ses promesses ! C'est une affreuse petite Jos, et je lui en voudrais si je l'aimais moins. Je me console de mes déceptions en écoutant M. Robinson. Il joue comme un ange — du Chopin aujourd'hui ! C'est si beau, j'en ai l'âme toute vibrante et un peu meurtrie aussi !

Comme il a dû souffrir, ce Chopin, pour que l'écho de sa souffrance nous fasse aussi mal, et je suis si étrangement faite que je jouis à être ainsi remuée.

M. Robinson s'aperçoit de l'effet de sa musique. « *Child, child, how intensely you feel music!* » m'a-t-il dit tout à l'heure.

Ça m'agace qu'il soit Anglais – – – je lui pardonnerais d'être Américain. Ils me plaisent assez, eux... et les Irlandais ? — oui comme les Français !

J'étais si fatiguée aujourd'hui que le bon vieux grognon de docteur m'a condamnée à la chaise longue,
et je n'ai pu me joindre aux autres qui sont toutes
allées, avec Mme Lamothe, chez Mme Smarthe passer
l'après-midi, dîner et elles ne reviendront qu'après la
soirée. Mme Malhiot a ronflé tout l'après-midi le nez
dans un journal, et je prends ma plume pour ne plus
regarder la mer qui étincelle et me fait papilloter les
yeux. Je l'ai contemplée si longtemps, perdue dans
une rêverie si vague et si douce qu'elle ressemblait à
ces songes qui nous laissent une impression jolie
qu'on ne parvient pas à saisir au réveil. Que c'est bon
ne rien faire – – ne pas penser — voir les nuages en
haut, la mer en bas, les sentir si grands et soi si
petite... les sentir des choses, et soi une âme... c'est-
à-dire que je puis monter, m'élever, arriver un jour
jusqu'à Dieu, jusqu'à l'infinie Grandeur, et la mer
sera toujours là, roulant ses eaux vertes, chantant, se
plaignant ou hurlant, une chose bien belle, mais une
chose !

Et cela me rend heureuse, parce que le beau me
sort de moi, me donne des ailes et un immense désir
de tout ce qui est plus beau que tout, et qu'on voudrait voir sans savoir ce que c'est ! Je veux bien croire

Interruption de deux heures, ce sera bientôt
l'heure du dîner... M. Robinson est venu s'asseoir
près de moi, installé « en Anglais », avec une minus-
cule petite table à tiroir, d'où il a sorti du papier à
musique, une plume fontaine et l'intention bien
arrêtée d'écrire la petite berceuse à laquelle je devais

trouver un nom. Il n'a pas travaillé et il m'a empê-
chée d'écrire, ce qui n'est pas un grand malheur en
ce qui me concerne. Je le croyais avec les autres, chez
Mme Smarthe. Il dit que cela l'ennuie ces «*family
affairs*». J'ai ri de lui, sept étrangères chez une étrangère, c'est une singulière affaire de famille.

Nous avons beaucoup causé — c'est un vieux
bonhomme, il a vingt-sept ans! Je m'en doutais; au
commencement de nos conversations il m'appelle
cérémonieusement *Miss*... puis quand il s'anime il lui
arrive souvent de dire «*Child*» — ce que j'aimais plus
ou moins avant de savoir son âge. Je lui ai très gravement dit cela, ce qui l'a fait rire immodérément.
Alors Mme Malhiot s'éveille en sursaut, balbutie quelques mots d'anglais de fantaisie, et nous plante là
pour aller se préparer pour le dîner.

— N'allez-vous pas faire votre toilette aussi?
demande ce sage.

— Ne me trouvez-vous pas bien, ainsi?

— Non, votre robe de mousseline sera trop légère
d'ici à une heure.

— Je mettrai un tricot, et je ne monte pas, je suis
trop fatiguée.

— Raison de plus pour ne pas vous exposer à
prendre froid. Soyez raisonnable et allez mettre une
robe chaude.

Je refuse — il insiste — je me fâche — il persiste
avec son ton tranquille exaspérant... alors je prends
mon livre et ne lui réponds plus — il voit le docteur,
et va lui demander si ce ne serait pas plus prudent,
etc. — Le docteur vient de suite m'ordonner le

changement de toilette. Je pars, enragée d'être forcée de suivre non ses conseils mais presque les ordres de ce *fichu* Anglais !

Me revoilà sur la véranda, j'écris sans lever les yeux et je me garde bien de regarder le grand Robinson qui m'observe par-dessus son journal. Il ne me fera pas sourire le vilain monsieur ! Je lui apprendrai à se mêler de ce qui le regarde. Il vient de ce côté. Rien ne me fera lever la tête — Bon voilà la cloche... et l'Anglais à deux pas qui me parle... je n'entends pas !

10 heures

Elles n'arrivent pas, je suppose qu'elles s'amusent bien, moi je suis dans ma chambre et même dans mon lit — j'écris parce que je ne puis dormir avant leur retour.

Après dîner, M. Robinson a porté la grande chaise longue dans le coin près du piano, puis il m'a dit: « Mettez-vous là, je jouerai pour vous tout ce que vous voudrez. » Comment continuer à être fâchée ? Aussi j'y ai renoncé, et je lui ai fait payer sa dette en musique superbe. À neuf heures, il cessa. « *You look very pale and tired, child, you ought to go to bed.* » Et docilement je suis montée. Il est amusant avec ses airs de despote ! Quand je serai moins fatiguée, je connais une petite personne qui regimbera un peu beaucoup, s'il s'avise de vouloir la conduire ainsi !

Il m'adoucit et m'assouplit avec sa musique. Je suis peut-être une espèce de « petite crocodile » !

Eh bien, je m'endors et je renonce à attendre Alice et les autres. J'aurais tant voulu une lettre de Jos et des nouvelles de Maurice aujourd'hui ! Mais je ne me plains pas de ma journée — je l'avais entrevue si longue et si ennuyeuse quand *elles* m'ont laissée seule avec le docteur et sa grosse femme ! Ce que j'avais oublié de faire entrer dans le programme, c'est M. Robinson et, aujourd'hui, il a été mon salut.

21 juillet

Je n'écris pas bien souvent dans le cher petit cahier. Le temps passe à rien et avec une rapidité étonnante. Reçu hier soir une courte lettre de Jos qui est à Saint-Hyacinthe. Elle ne parle pas autrement de Maurice que pour dire qu'il est toujours à Kamouraska. Le reverrai-je jamais !... J'y pense beaucoup, beaucoup, et je n'ai jamais tant désiré le voir. Il sera tout autre, et j'ai peur, peur de ne plus le retrouver en grand ami si doux !

Je suis bien déraisonnable, j'ai défendu qu'il m'écrive, et je lui en veux presque de son obéissance.

Quand le reverrai-je ? — sera-t-il à Saint-Hyacinthe quand j'y reviendrai ?

J'étudie bien avec M. Robinson. Comme je comprends ce que je n'avais jamais soupçonné avant !... Je lui devrai ma première vraie révélation de la musique. Il profite de son rôle de professeur pour exercer tranquillement son autorité et sa surveillance (paternelle, je lui dis en me moquant) sur ma petite personne qui suis toute saisie de ne pas plus me révolter contre cette étrangeté !

Il m'a donné une jolie édition des «Romances sans paroles» de Mendelssohn. J'hésitais à les accepter, il m'a dit: «*You must keep them and play them for my sake*», et j'ai cédé. J'en ai pris l'habitude avec ce diable d'Anglais tranquille ! Je le crois bien malade, il ne semble pas devenir mieux, et il est triste souvent à faire pitié.

23 juillet

M. Robinson nous a procuré à Alice et à moi un plaisir charmant. Il a obtenu de Mme Lamothe de nous emmener avec lui pour une promenade à cheval. Et sur cette belle grève si unie, nous avons fait une promenade inoubliable.

Ce vieux tyran ne permettait pas les galops trop prolongés, et nous l'écoutions avec une docilité aussi comique que rare ! Louise et Sophie nous regardaient partir avec des airs d'envie. Elles sont convaincues, je gage, que nous leur volons un cavalier. Nous ne le leur volons pas, car il ne s'est jamais occupé que de nous «les fillettes» comme elles disent un peu dédaigneusement.

Nous sommes revenues pour l'heure du bain — et après le lunch j'ai dormi toute l'après-midi d'un sommeil de plomb. M. Robinson a passé la soirée avec nous, il parlait si peu que je lui demandai ce qu'il avait. «*Nothing, darling, I feel a bit tired.*» Alice me pinça le bras à me faire presque crier. — Il était distrait, il a oublié à qui il parlait. *Darling*... chérie – – – le mot français est bien plus joli.

Plus tard je lui demandai s'il était trop fatigué pour jouer. Il me répondit oui et me promit de jouer demain matin aussi longtemps que je le voudrai. Je ne devrais pas m'en occuper puisque ça doit être une distraction — cela m'ennuie qu'il m'ait appelée «*darling*» — je ne veux être la chérie de personne que la tienne, mon ami si loin !

25 juillet

Grand émoi dans l'hôtel ce matin. Ce pauvre monsieur Robinson a eu une hémorragie, on a fait venir un médecin de Portland. Je viens de m'informer, on le dit mieux ce soir — Mme Lamothe et Mme Malhiot en ont pris soin. Sa sœur doit arriver bientôt, on lui a télégraphié. Pauvre homme – – je me demande s'il a peur de mourir, ou bien s'il est tellement affaibli qu'il ne se soucie ni de vivre ni de mourir.

Alice et moi avons passé la journée tristement, dans l'inquiétude. Penser qu'il peut mourir, disparaître pour toujours de ce monde si beau, et qu'il ira... où ?

Mardi matin

J'ai vu ce matin M. Robinson. Il est d'une pâleur livide — ses yeux sont immenses, ils impressionnent par leur éclat et leur... inquiétude. Il passe la journée étendu sur une chaise longue — sa sœur est ici. Elle a une bonne figure sympathique. Elle est venue me chercher au salon, envoyée par son frère, car je n'avais pas osé approcher. «Venez, mon enfant, et ne le laissez pas parler trop — il vous demande — ne le contrariez pas», a-t-elle ajouté presque bas. — Et me voilà près de lui, un peu émue de le voir si changé. Il me dit de rester là, près de lui et de lui parler. Mais quoi lui dire ? On ne parle pas sur commande ! Alors je lui offre de lire... Il envoie chercher un volume de Longfellow. De la poésie !... Mais il ne fallait pas le contrarier. Je commençai avec peu d'assurance... puis j'arrêtais en le regardant, craignant je ne sais quoi... de mal lire, mal prononcer... l'ennuyer. «*Why do you stop, child — go on, I love to hear your pretty little brocken accent. It is music, don't be afraid, read on.*» Rassurée, je lus longtemps. Puis je partis en promettant de le revoir demain comme il m'en priait.

Étrange homme. Il me fait pitié, et j'ai prié ce soir pour que Dieu lui vienne en aide.

Nous devions aller à Portland demain, mais le docteur est souffrant et la partie est remise.

Alice et moi ne savons que faire de nous depuis quatre jours... le temps a été un peu gris... est-ce cela, ou la maladie de notre ami, ou l'humeur hargneuse de ce pauvre docteur qui s'épuise à grogner ? Je ne sais trop – – mais la mer ne chante plus, elle pleure et il nous arrive souvent d'avoir envie d'en faire autant. Pourtant je suis mieux — je ne tousse plus et je rosis en attendant d'engraisser !

J'étais fatiguée aujourd'hui, l'air est lourd, nous aurons de l'orage, et je suis à l'orage, c'est-à-dire un peu nerveuse, agitée, mal à l'aise. Après le lunch je me suis endormie au salon dans un grand fauteuil — je m'y étais réfugiée avec Alice pendant que tout le monde va faire la sieste.

Je m'éveille tout d'un coup et je vois M. Robinson dans un fauteuil, pas loin. Il sourit de mon effarement, m'assura qu'il était presque guéri et qu'une séance de Longfellow lui ferait grand bien. Il proposa d'aller sur la véranda où il y avait un peu d'air. Il marchait bien et malgré sa pâleur semblait presque comme avant.

— *Now for a reading!* fait-il en s'étendant dans sa chaise longue. *You are a dear little darling, you know!*

Alors prenant mon courage à deux mains :

— Pourquoi (j'écris français, ça m'ennuie en anglais) m'appelez-vous ainsi « chérie » sans que cela ne paraisse très étrange ?

— Vous n'aimez pas que je vous appelle ainsi ?

— Non, et vous ne devez pas le faire.

— Et pourquoi, enfant ?

— Parce que je ne suis pas votre chérie, et vous le savez bien.

— Je sais le contraire, je vous aime bien, et je voudrais avoir une délicieuse petite sœur comme vous. Alors, reprit-il en taquinant, il faut vous appeler mademoiselle ?

— Mais oui, comme tout le monde !

— Je ne suis pas tout le monde, moi, je suis un pauvre diable qui mourra au premier jour et si cela me fait plaisir de vous parler tendrement, sans m'en apercevoir, d'ailleurs, je vous demande quel inconvénient cela peut bien avoir !

Je ne répondis pas de suite ne sachant trop quoi dire et émue à cette idée de mort évoquée si tranquillement. — Enfin :

— Vous ne le croyez pas que vous allez mourir ?

— Mais oui, je le crois !

— Cela ne vous fait pas bien peur ?

— Peut-être un peu mais vous voilà très sérieuse, petite chérie. Ah ! pardon, mademoiselle !

Je ris franchement.

— Allons, soyez bonne, passez-moi cette fantaisie de malade et laissez-moi vous dire ce que je voudrai.

Avec un gros soupir :

— Mes permissions vous importent peu, et je sais que vous ferez comme d'habitude, *your own sweet will !*

Et voilà où nous en étions quand je me remis à lire Longfellow. Oui il est malade mais il est capricieux et autoritaire au moins autant que malade.

Aujourd'hui la mer est sombre et plus belle que je ne l'ai vue encore – – et je suis un peu triste, comme dépaysée, je n'ai pas encore éprouvé cela ici. Est-ce de l'ennui déjà ?...

Les lettres de Jos sont rares, et celles de chez nous sont

C'est vendredi ou samedi, ah! vendredi car nous n'avons pas mangé de viande à midi. La vie s'écoule si douce et si monotone, je suis devenue une si vraie petite huître que je ne tiens plus compte des jours. Je me laisse vivre béatement, un peu bêtement aussi. J'aime moins à écrire, c'est un effort et ma nouvelle nature s'y refuse. Je suis tout occupée à refaire ma coquille, je suis bien fermée et les impressions n'entrent pas plus qu'elles ne sortent de la petite boîte brillante que la mer baigne, que l'odeur de varech parfume et que le sable doré tient chaude.

Alice continue à dévorer les *Revues* qu'elle vole très adroitement à sa mère: elle en est si occupée qu'elle cause peu. Nous sommes deux petites sauvages sur notre rocher où personne ne nous dérange. Elle lit – – je dors ou je rêve éveillée – – le tout se ressemblant si bien, que je ne suis jamais certaine, en revenant du rocher, d'avoir rêvé endormie ou éveillée.

Notre grand ami est mieux, presque bien. Tous les jours, il trouve le moyen de nous retrouver et il parle avec moi sans plus s'occuper d'Alice que si elle était à dix lieues. Hier elle a repris ses éternelles revues et a lu sans interruption, pendant que nous causions, c'est-à-dire causer! que je m'évertuais à répondre aux innombrables questions de mon vieil ami. En nous quittant, il s'inclina narquoisement devant Alice: «*I beg to be excused, Miss Lamothe, if you read all the time?*» Alice lui répondit vertement — et il s'en alla, aussi calme qu'un dieu, laissant Alice indignée de ce qu'elle appelle son insolence. Moi j'ai bien ri de la petite scène!

Mon pauvre petit cahier, te voilà bien négligé, n'importe, si tu as un bout d'âme, réjouis-toi, quand je n'ai pas besoin de toi c'est que tout va bien, que mon âme est paisible, mon cœur heureux et on ne parle plus de la santé avec la mine que j'ai! Je suis rose, noire, ronde, je ris à propos de tout comme une petite folle, je chante en m'éveillant et je ne trouve pas les journées assez longues pour y mettre tout ce que je voudrais faire!

Nous montons à cheval quelquefois, Alice et moi, avec notre grand ami anglais qui est presque bien maintenant. Je travaille mon piano tous les matins — Alice et moi marchons comme des trappeurs. Nous nageons, nous nous éloignons des gens civilisés et nous marchons nu-pieds dans le beau sable fin! Quelle vie heureuse! C'est un bon petit bonheur un peu bête et ravissant! Quand je veux penser à Saint-Hyacinthe, à la maison, au couvent qui m'attend, je ne me laisse pas penser!

Je suis moins sévère en ce qui concerne Maurice. J'y pense souvent mais sans regrets du passé, sans désirs pour l'avenir. J'ai plutôt une extrême curiosité de lui et de moi à notre première rencontre.

C'est une autre partie de ma vie qui recommence — j'étais une enfant, je suis une jeune fille qu'on

traite avec des égards, pour laquelle on fait des frais !
Ce sont des découvertes faites aux États-Unis cela !

Au fond je me sens un peu bien jeune encore, et je me le fais répéter sur tous les tons par Alice qui est très fière de la supériorité que ses trois ans de plus lui donnent sur moi. Ce qui est consolant, ma mie, c'est que tu la rattraperas... quand elle cessera de vieillir comme Mlle P. qui a trente-cinq ans depuis huit ans ! Non, Alice a trop d'esprit pour faire de semblables singeries !

M. Robinson devait partir demain, il vient de me dire qu'il changeait ses projets et passerait encore «*some time*». Nous sommes bons amis et nous avons de belles petites querelles quand il veut me mener au doigt et à l'œil comme au commencement. Ah ! les Anglais ! et comme il est bien de sa race, lui !

Eh bien, il a trouvé un petite Canadienne capable de lui tenir tête.

5 août

Alice et moi avons attrapé une belle gronderie parce que nous sommes des sauvages ! rien que ça ! Pauvres de nous, la glaciale Mme Lamothe nous a servi un froid mépris très rafraîchissant par cette chaleur. J'ai laissé Alice méditer sur nos erreurs dans sa chambre, et je me suis enfuie ici sur mon rocher sur lequel je suis perchée très haut et où je veux oublier ce petit ennui. C'est bête de ne pouvoir faire des choses très simples, comme de nous promener

(Alice et moi) dans le sable nu-pieds, loin des baigneurs, sans se faire dire des... duretés.

Bah! je n'ai pas dix-sept ans, je me fais dire et redire que je suis une enfant, et je ne me sens pas du tout, mais du tout «*amoindrie* par ces enfantillages»! Ce que je me fiche de l'opinion et même de vous, Madame!

Bon! voilà M. Robinson qui vient de ce côté — il me découvrira dans mon aire, il m'y joindra et je causerai avec lui au lieu de jaser toute seule. Rien en cela de désagréable et pourtant... pourtant, j'aime mieux être seule.

....

L'étrange entrevue, est-il singulier cet homme! Il s'est tranquillement installé sur mon rocher, sans paraître étonné de m'y voir, sans demander la permission, tout à fait à l'anglaise! Puis, silence complet — il m'examinait, me tenait sous son regard inquisiteur... J'en éprouvai d'abord du malaise, puis de la gêne, enfin, toute troublée je me lève pour partir. Il s'objecte, je m'entête et je commence à descendre. Il se lève, me touche légèrement le bras: «*You must remain here, I cannot lose this opportunity of speaking to you alone, before I go, and unfortunately this is very soon!*»

Indécise, j'hésitais... «*Child, be kind!*» Il implorait, ma révolte s'apaisa et je consentis à m'asseoir près de lui. — J'y passai une heure. Il parla de musique, de sa vie manquée à cause de sa santé délabrée, de son isolement, de sa tristesse habituelle, et ensuite bien doucement, il me remercia d'avoir mis de la joie dans sa vie par ma seule présence... du souvenir qu'il garderait de moi — et les mots tendres revenaient, les mots caressants qu'on emploie avec les enfants: «*darling*», «*little one*», «*little love*». J'en étais tout intimidée et quand je pus parler, je lui dis qu'après tout j'étais pour lui une petite étrangère et qu'il ne devait pas me parler ainsi. Il sourit tristement et m'assura que cela n'avait aucune conséquence car bientôt peut-être il serait mort — il en parle si tranquillement de cette terrible chose!

Nous sommes revenus ensemble à l'hôtel, lui grave, moi émue et attristée. — Ce soir, il joua longtemps et quand il commença la marche funèbre de Chopin, je m'enfuis sur la galerie afin de cacher mes larmes! C'est affreux de penser non seulement qu'il va mourir, mais qu'il le sait, qu'il attend tous les jours l'accident, fièvre ou hémorragie, qui le tuera. Dans l'amitié et l'intérêt que je lui porte, il y a surtout une immense pitié pour ce condamné si beau, si artiste, et si débordant de vie encore malgré ses sinistres prédictions.

Je suis montée doucement à ma chambre sans attirer l'attention de personne.

6 août

Je porte au cou, habituellement, une chaînette à laquelle est suspendue une petite médaille en or de l'Immaculée. Hier, je la manquai au retour du bain, j'étais désolée, croyant l'avoir perdue dans la mer. Ce matin, mon grand ami me la rapporta — un domestique l'avait trouvée dans l'escalier. Tout heureuse, je remis chaînette et médaille à mon cou. M. Robinson me questionna. Pourquoi je porte cette médaille, si je crois à cette protection de la Vierge. Pourquoi j'y crois, etc. ! Une longue causerie dans le beau soleil qui mettait des rayons tout autour de nous.

— M'aiderait-elle, votre Vierge, si je la priais, moi ?

— Oui, elle console tous ceux qui souffrent.

— Voulez-vous... non, je n'ose vous demander...

— Quoi ! Vous n'osez pas ! Allons, Monsieur, on est Anglais ou on ne l'est pas ! Osez ! C'est la première fois que je vous vois hésiter !

— Voulez-vous me donner cette petite médaille ?

— Pourquoi faire ?

— *I shall pray your Virgin, she will help me perhaps !*

Je détachai chaîne et médaille et les lui donnai, pendant qu'il se confondait en excuses et en remerciements attendris.

Il est protestant, mais sainte Vierge mienne, vous le protégerez, vous lui adoucirez la mort, vous l'aiderez comme il le dit.

7 août

Notre ami est parti ce matin et demain ce sera notre tour. Je suis triste, singulièrement triste et... inquiète. Je ne m'habitue pas à l'idée qu'un être fort et jeune doive renoncer à tout avant d'avoir joui de rien, et qu'il ira Dieu sait où, après avoir été si malheureux.

Dieu s'occupe-t-il réellement de chacun de nous? Je ne le crois pas. Nous sommes des atomes, des parcelles d'un grand *Tout* qu'Il dirige et gouverne d'après un plan que Lui seul connaît. Mais ce grand Dieu ne s'occupe pas de la poussière que nous faisons en remuant, pour arriver ou partir! Et pourtant, serait-ce juste ainsi? Nous vivons sans l'avoir voulu, nous mourrons sans le vouloir – – et nous disons que nous sommes libres! Pauvres misères que nous sommes!

Le soir

Alice et moi avons visité tous nos jolis coins d'ombre ou de lumière: le petit bois, notre rocher, la source, et enfin notre belle grève! Nous laissons un peu de nous dans ce morceau de monde! Nous avons peu parlé, attristées toutes les deux par nos adieux à cette belle nature que nous ne reverrons peut-être jamais.

Je suis arrivée toute frêle et blanche, une pauvre petite ombre qui faisait pitié — je pars vigoureuse et forte, pleine de vie et de gaieté quand *tout va bien*. Ils seront heureux chez nous, petit Père, Jos... peut-être Maurice! Oh! lui... s'occupe-t-il encore de sa petite amie? J'ai essayé de m'en détacher, mais je sens encore que tout mon cœur va à lui! Et pourtant, il est probable que je ne suis dans sa vie que la petite compagne qu'on tutoie et qu'on traite en petite fille jusqu'au jour où on aime la belle grande jeune fille qu'on épousera!

Ah! l'horreur! que je la déteste cette cauchemar! Aussi pourquoi m'amuser à imaginer des affreusetés ? Pourquoi penser du tout ? Ma petite âme, endors-toi, et ne te tourmente pas si inutilement.

8 août

Départ retardé par suite d'une indisposition du docteur. Une journée triste, un ciel gris, une mer noire, un grand vent ! Je voudrais m'en aller loin loin, où personne ne me verrait et où je pleurerais toutes les larmes qui m'étouffent. Pourquoi ? Ah ! pourquoi ! Pourquoi le ciel est-il lourd comme du plomb, la mer, noire comme de l'encre, le vent triste comme un sanglot ? J'ai l'âme lourde et noire et triste et je voudrais de bons grands bras caressants qui m'entoureraient et dans lesquels je serais tranquille et consolée. Ça, c'est le rêve inutile et toujours recommencé ! Ô Dieu, ne pourrais-tu pas me prendre vraiment à toi et me garder en toi à travers tout, que je le veuille ou non, que je sache ou que je l'ignore, sois l'ami puissant et tendre et pitoyable de la petite âme en détresse qui crie vers toi ce soir.

Pourquoi ce grand trouble, cette angoisse qui me fait si mal ? Je suis lasse, lasse et je ne sais même pas pourquoi !

Saint-Hyacinthe

Arrivée hier soir. Grand accueil aimable et étonné, j'ai dormi douze heures, et je suis très fraîche après cette bonne nuit. On se récrie, on s'exclame! Comme elle est brune, et rose, et ronde! et vraiment on ne paraît pas trouver laid cet amalgame.

Les Saint-Jacques ne sont pas de retour — j'ai vu les vieilles tantes[7] qui ont poussé leurs Oh! et leurs Ah! en anglais et qui n'en reviennent pas de ma bonne mine!

J'en ai pour deux ou trois jours d'exposition pour les indigènes. Je n'étais pas faite pour vivre en société — je trouve les gens stupides, pris en masse, et moi comprise dans la masse, afin de ne choquer personne!

Mon beau petit cahier achève — je ne suis pas riche pour en acheter un autre et demander de l'argent, ça ne me tente pas! Aussi bien je pourrais cesser ces griffonnages si inutiles. Le pourrais-tu, ma mie? Tu te vantes, peut-être! Et puis, pourquoi t'en priver, même s'ils sont inutiles, s'ils te plaisent? Et ils te plaisent, parce que tu es remplie de toi, tu t'aimes, tu te cherches, tu jouis de te découvrir, de parler de toi, de te poser en petite héroïne! devant toi-même! Eh *ben*, c'est pas si mal trouvé, c'est au moins un public indulgent que tu t'es trouvé, ma mie!

Hier, grand pique-nique aux Sources — plaisir bien modéré, mais journée exquise de douceur molle et paresseuse.

Perdu là une belle occasion de voir Maurice. Ils arrivent tous à la «fin de la semaine, peut-être avant», m'a tranquillement dit la vieille Marie. Je

7. Mary et Julia Buckley, tantes de Mme Saint-Jacques (née Buckley); elles habitaient chez les Saint-Jacques.

l'aurais secouée, c'est si peu la même chose tout de suite ou dans cinq jours! Je vis dans l'attente, oreilles et yeux au guet! Que je suis donc folle... de le constater ne m'améliore pas hélas, et *j'ai hâte pareil* !

12 août

C'est bien le treize, hier je n'ai écrit que la date... au moment d'écrire je ne l'ai pas pu, et cependant j'avais tiré le petit cahier de sa cachette pour jaser un peu... Pourquoi ce caprice... oh! pourquoi *moi*, alors?

Je regarde au fond de moi ce soir — je ne suis pas contente — je ne suis pas claire... mais pas du tout. J'attends Maurice demain et je suis un peu troublée à l'idée de le revoir... Maman a repris son air de détective! Elle est d'une humeur noire avec moi à cause de ce retour!

Où l'injustice va-t-elle se nicher, grands dieux des bois francs! Mais la justice! un autre mot bien sonnant, qui fait bien dans les discours, mais peut-être, comme le bonheur, n'existe-t-elle qu'avec un à peu près peu satisfaisant.

Enfin! il ne s'agit ni de la justice, ni de maman, mais de moi que je veux voir ce soir.

Suis-je heureuse du revoir prochain – – oui, est-ce que j'aime Maurice? Le sais-je? Aimer, aimer, toujours le même mot pour ses amis, ses goûts, ses préférences, le bon Dieu... Je l'aime bien, voilà... et cela *c'est pas ça*! Donc je ne l'aime pas? Horreur! tais-toi petite monstre!

Je désire et je redoute notre première entrevue; je me vois gauche... tout émue en dedans, mais à dix lieues de lui en apparence. Et lui aura son binocle et il me regardera avec tous ses yeux. Deux paires ! Ce n'est pas trop pour voir la pauvre petite que je me sentirai, là !

Tout ce que je demande à mon étoile, c'est cinq minutes seuls; en présence d'autres, je serai stupide !

14 août

Raisonne, discute, prouve-toi que tu ne l'aimes pas, pauvre petite âme ! J'ai entendu sa voix ce soir, en passant, sans le voir, et une grande joie est entrée en moi, et je n'essaie plus de voir comment je l'aime... qu'importe tout ! Il est là... tout près... demain je lui parlerai peut-être... que c'est doux d'y penser et comme j'étais bête hier de tout gâter avec mes fouilles !

19 août

Le temps passe, passe, trop vite et nous courons vers la rentrée, les départs, tout le triste de l'automne ! Nous retomberons dans le gris — tout s'assombrira, le ciel et la terre, il fera froid, et je frissonne en songeant à tout ce qui me manquera !

Pourquoi ces pensées tristes, ce matin, quand tout rayonne et resplendit autour de moi ? Le jardin est tout parfumé — quel calme autour de moi ! Et c'est si bon, si délicieux de rester ici toute seule en communion avec ces rayons, ces parfums, ces bourdonnements, ces gazouillements si doux!

C'est bon de vivre l'heure présente sans souci de ce qui fut et de ce qui sera, sans penser, sans sentir... rien... que la joie de vivre!

J'ai vu Maurice en famille, ce qui fut absolument manqué! et quelques minutes seuls dans le jardin chez lui, le lendemain de leur arrivée.

Ce ne fut pas beaucoup plus... ou beaucoup moins... manqué! Je suis devenue stupidement timide... j'étais paralysée... incapable de le regarder et de lui répondre – – heureusement que je l'ai vu sans le regarder et que je lui ai parlé, sans lui répondre — alors tout mon émoi a peut-être passé inaperçu.

Ses yeux sont toujours si bleus et si scrutateurs! sa voix pleine et douce et prenante... c'est tout, tout, tout! Pauvre petit cahier curieux, ne fais pas de questions – – que veux-tu que je réponde, je ne sais qu'une chose, vois-tu, c'est que j'ai en moi un grand mystère qui s'appelle moi, que je n'y comprends plus rien, et que je barbouillerais vainement tes dernières pages blanches pour y écrire ce que je pense et ce que je sens. Tu es une de mes mauvaises habitudes, cher cahier discret — aurai-je l'énergie de te mettre de côté, tolérera-t-on ta présence dans ce beau couvent où je passerai l'année prisonnière? Oh! petite moi, tu seras reluquée, surveillée, gardée, couvée! On voudra t'emmouler, te pétrir, te perfectionner! On te prendra tout de toi, ton temps, ta volonté, tes goûts, on cherchera à voler tes impressions, à diriger tes affections, à assouplir ton caractère... À quoi tout cela aboutira-t-il? Que retireras-tu de cette année difficile? Hélas! si on réussit, tu ne seras plus toi, et si on échoue, tu seras la plus malheureuse des petites filles, parce que tu seras la plus persécutée!

Le vieux François s'est planté devant moi, appuyé sur son râteau, il me regarde curieusement et puis: «Ça serait-y un effet de vot' bonté de me dire quois que vous écrivassez, mamzelle Henriette. Vous avez pas vot' joli petit air plaisante! Vous avez pas du chagrin, dites, moë, voyez-vous, je vous ai connue longue comme ça (montrant son bras) et vous m'excuserez ben de vous dire que je vous aime ben gros!» Je l'ai rassuré et j'ai repris mon «*air plaisante*», et j'ai été ridiculement joyeuse de me dire et de croire qu'il m'aime ben gros. C'est bon de se faire aimer ben gros, et d'aimer, d'aimer tout, depuis les nuages légers jusqu'aux petites fourmis affairées qui courent toutes soucieuses, sans se douter les pauv[8]

J'ai brisé ma plume et j'ai dû faire un grand effort pour ne pas pleurer de ce petit accident — j'ai donc perdu décidément mon «air plaisante», et je me sens maussade comme la fée Grognon!

Comme je voudrais le voir... pour savoir!... Quoi??? Lui et moi! pour nous savoir. Ah! François, elle en a un peu, du chagrin, la petite que tu aimes ben gros! Elle est inquiète et tourmentée par de grands papillons noirs, qui, en tournoyant autour d'elle, la frôlent de leurs ailes sombres!

---

8. Les deux paragraphes suivants sont à la mine de plomb.

Soirée agaçante, hier, chez les Durocher — Amédée ne me quitta pas une seconde, Henriette s'attacha aux côtés de Maurice et... le jeu de quatre coins ne m'amuse pas !

Je revins avec Maurice, Alice et Jos ayant pris les devants, ce furent quelques minutes seuls. Maurice trouve que je suis bien *différente* depuis ce voyage.

????

Il essaya de reprendre notre ancien petit ton si intime et si doux. Je ne l'y encourageai pas... aussi en me disant bonsoir j'étais *vous* !

Pauvre moi bête, va !

Ce matin, Jos m'a dit à la clôture que Mlle Mary est gravement malade. Elle m'a demandé aussi d'y aller cet après-midi. J'ai promis... et il me semble que trois heures ne sonneront jamais. Je le verrai peut-être.

Et ça t'avancera, petite dinde, tu seras désagréable et froide, tu lui feras de la peine comme hier soir. Ah ! misère de moi !

Hier, j'ai passé deux heures avec Jos, auprès de la pauvre vieille tante, pendant que Mme Saint-Jacques se reposait. J'y dois retourner vers quatre heures. Elle est très malade et n'en guérira probablement pas. J'ai vu Maurice à la clôture, ce matin, où j'étais allée demander des nouvelles. Jos m'envoya son frère pour m'en donner. Il arriva très grave, un peu triste même, j'essayai de... m'éteindre, je me sentais les yeux rire, et le cœur déborder de joie dans tout ce clair soleil et si près de lui! L'effort dura peu et au lieu de m'assombrir comme lui, je l'illuminai comme moi. Et après quelques instants de «vous» cérémonieux, il me tutoya et rit avec moi et me taquina et commença à me faire un procès pour savoir pourquoi je bâtis un mur de glace entre nous. Mais j'étais trop animée pour expliquer d'aussi sérieuses choses! Nous nous sommes laissés après le plus joli quart d'heure imaginable!

Et revenue dans ma grande chambre, je me fais des reproches de toute cette joie, de ce bonheur que j'ai rapporté *presque* de cette chambre de mourante. Comme je suis égoïste, et occupée uniquement de moi! Pauvre vieille grand'tante de Maurice qu'elle aime tant et qu'elle a bien gâté, prétendent-ils tous. Ce sera un de ses mérites, c'est vraiment une bonne action de choyer ce grand monsieur à la mine si froide et qui a dû tant jouir de cette vieille tendresse aimable.

Maman n'est pas bonne pour moi... non que je veuille dire qu'elle soit méchante, ce serait un affreux mensonge! Mais elle est inabordable, critique, glaciale, presque malveillante, et quand, après avoir été heureuse, je reviens dans son rayon, mon cœur se serre et un rien me rend la plus malheureuse petite fille!

Je voudrais me cuirasser d'indifférence – – ne plus sentir le mal qu'elle me fait! Je me fais de longs discours: «Tu ne l'aimes pas, il ne faut pas que tu l'aimes et que tu aies de la peine!» J'ai beau épuiser mon éloquence, chaque mot dur me blesse et je recommence sans cesse à avoir du chagrin... ce qui prouve que je suis une petite bête et une assez bonne petite bête; puisque je ne puis pas arriver à ne plus l'aimer.

24 août

La pauvre vieille tante Mary est morte ce matin à quatre heures après une très longue agonie. Je l'ai vue hier après-midi, j'en suis encore tout impressionnée... La mort est si triste en elle-même, pourquoi faut-il de plus cet accompagnement terrible de respiration pénible, de traits contractés, d'horreur que l'on voit, que l'on respire, que l'on sent près du pauvre malade ?

Jos m'a appelée pour l'aider à préparer des fleurs. J'ai fait ce que j'ai pu, en tremblant, et si bouleversée, que j'ai dû revenir sans compléter le travail entrepris. Je suis une pâte molle ! Je me méprise, je devrais pouvoir dominer mes impressions et savoir rendre service quand c'est le temps. Oh! pauvre de moi, pauvre de petite moi !

Vers huit heures Jos me fit demander par Éliza[9] pour — je ne sais pourquoi. Maman qui eut connaissance de la commission me dit (m'ordonna) d'y aller puisque je pouvais être utile.

9. Élisabeth-Hélène (Éliza) Saint-Jacques, née le 24 mai 1866, septième enfant de Romuald Saint-Jacques et de Joséphine Hermine Buckley.

Je passai deux heures chez Jos dans sa chambre où Mary Buckley et Maurice veillèrent aussi. Nous étions tristes et sérieux, notre conversation s'en ressentit.

À dix heures, Maurice vint me conduire à la clôture et il m'aida à monter les marches. Il y faisait un noir de loup!

—Vous n'avez pas peur, Henriette?

— Mais pas du tout, je me promène avec mon bon ange qui me préserve des noirceurs de la glacière!

Et je prenais ma course, d'un bond il fut près de moi:

— Attendez, c'est imprudent. Je vais vous reconduire à la porte, où vous me direz bonsoir au moins!

Ceci d'un ton de reproche amer. À la porte:

— Monsieur Maurice, je vous dis bonsoir et merci.

Je pris ma robe des deux mains pour lui faire une belle révérence, il les prit toutes deux et les embrassa en disant:

— Chère petite méchante, je t'aime bien va!

Il me regarda entrer par la porte de la cuisine où la lumière me piqua les yeux et me remit dans le réel.

Je suis montée sans voir personne pour garder sur mes mains les bons petits baisers, et ne rien entendre après ce beau «je t'aime bien va!» Moi aussi je t'aime bien va!... mais je ne le dis pas... *presque même pas* à moi-même!

Je ne sais ni le jour, ni la date... il pleut, je suis triste et j'écris pour ne pas pleurer — quitte à accompagner, plus tard, le grattement de ma plume de belles larmes toutes prêtes à tomber. J'entre au couvent la semaine prochaine. Cela ne me fait pas ce grand chagrin, je calcule m'y plaire au moins autant qu'à la maison où... où ça va décidément mal. Je n'accuse personne, je constate.

Depuis les chers petits baisers, je n'ai pas vu Maurice seul, et je parierais qu'il s'imagine avoir rêvé tout cela tant je ne parais pas m'en souvenir. Il a pour me parler une voix très douce, et toujours ses yeux chercheurs qui me scrutent. Vois-tu, au moins, que tu es mon cher grand ami, dans ces yeux-là ?

Qui sait ce qu'il voit et qu'importe ! Il part et... j'ai de la peine tant tant de cette séparation bien plus complète que d'habitude, puisqu'il ne se doute pas que je l'aime un peu !

Oh ! cette pluie qui tombe si également, qui semble vouloir tout noyer — elle est triste comme tout est triste du reste ! même le soleil, même les fleurs, même les arbres — le soleil pâlit, les fleurs gèleront, les arbres se dépouilleront et si tôt, si tôt ! je serai alors dans ce couvent qui m'attire et me fait peur. J'y aimerai tant l'isolement qu'il me sera facile d'obtenir, et je détesterai tant la règle qui me prendra dans son engrenage.

Voici ta fin, mon pauvre petit cahier. T'ai-je assez barbouillé et conté mes secrets ! Tu rejoindras tes frères dans mon coffre à secrets — tu te feras brûler quand je serai plus vieille ; je te relirai avant, avec peut-être un peu de mépris pour toi et pour moi, et pourtant, tu as quelque chose de moi en toi — un peu d'âme de petite fille — c'est peut-être rare, les petites filles qui s'amusent à s'écrire ! Je *t'achèterai* un successeur, condamné d'avance à toutes les indiscrétions des nonnes ! Aussi ne suis-je pas encore décidée à me confier à ce nouveau cahier, il resterait tout blanc, comme ma vie au couvent qui sera bonne et blanche et... fade peut-être et sûrement reposante ! J'y mettrai un peu de bon Dieu au couvent, si les religieuses n'en veulent pas trop mettre... ce serait bon... si elles sont raisonnables. Mais... Voilà — ces mais... ce sont les obstacles hélas !

BIBLIOGRAPHIE

Œuvres d'Henriette Dessaulles

FADETTE (pseud.), *Lettres de Fadette*, 1re série, Montréal, Imprimerie Populaire, 1914, ix, 152 p.; H. D. Saint-Jacques, *Lettres de Fadette*, 1re série, Paris, Casterman, s. d., «Ma bibliothèque», ill. Henri de Renancourt, 156 p.

——, *Lettres de Fadette*, 2e série, Montréal, Imprimerie Populaire, 1915, 134 p.; H. D. Saint-Jacques, *Lettres de Fadette*, 2e série, Paris, Casterman, s. d., «Ma bibliothèque», ill. Henri de Renancourt, 156 p.

——, *Lettres de Fadette*, 3e série, Montréal, Le Devoir, 1916, 163 p.; H. D. Saint-Jacques, *Lettres de Fadette*, 4e série [il s'agit d'une réédition de la 3e série, sauf deux chroniques], Paris, Casterman, s. d., «Ma bibliothèque», ill. Henri de Renancourt, 156 p.

——, *Lettres de Fadette*, 4e série, Montréal, Le Devoir, 1918, 176 p.

——, *La Mission de la mère*, Montréal, Bibliothèque de l'Action française, 1921, 16 p.

——, *Lettres de Fadette*, 5e série, Montréal, Le Devoir, 1922, 177 p.

——, *Contes de la lune*, Montréal, Therrien, 1932, ill. Suzanne Morin, 146 p.

——, *Il était une fois...*, Montréal, Imprimerie Populaire, 1933, ill. Suzanne Morin, 154 p.

——, *Journal d'Henriette Dessaulles, 1874/1880*, Montréal, Hurtubise HMH, 1971, 327 p.; trad. Liedewy Hawke, *Hopes and Dreams. The Diary of Henriette Dessaulles*, Toronto, Hounslow Press, 1986, 343 p.

DESSAULLES, Henriette, *Journal*, édition critique par Jean-Louis Major, Montréal, Les Presses de l'Université de Montréal, «Bibliothèque du Nouveau Monde», 1989, 672 p.

Sur Henriette Dessaulles

AUBIN, Anne-Marie, et DION, Jean-Marie, dir., *Hommage à Henriette Dessaulles, 1860-1946*, Saint-Hyacinthe, Regroupement littéraire Richelieu-Yamaska, 1985, 188 p.

CAMBRON, Micheline, «Le dix-neuvième siècle revu et corrigé par une jeune fille», *Spirale*, février 1990, p. 7.

COUTURE, Jeannine, «Fadette. Vie et œuvre de madame H. D. Saint-Jacques (1860-1946)», mémoire de maîtrise, Ottawa, Université d'Ottawa, 1966, 168 p.

GAUTHIER CANO, Mona, «La métamorphose du Sujet dans le *Journal* d'Henriette Dessaulles», mémoire de maîtrise, Ottawa, Université d'Ottawa, 1987, 150 p.

HÉBERT, Pierre, «Jalons pour une narratologie du journal intime: le statut du récit dans le *Journal* d'Henriette Dessaulles», *Voix et images*, vol. 13, n° 1, automne 1987, p. 140-156; repris dans HÉBERT, Pierre, *Le Journal intime au Québec. Structure, évolution, réception*, Montréal, Fides, 1988, p. 83-115.

——, «Angéline ou Henriette?», *Lettres québécoises*, n° 56, hiver 1989-1990, p. 50-51.

MAJOR, Jean-Louis, et FOURNIER, Claude, «Le *Journal* (1874-1881) d'Henriette Dessaulles», *Revue d'histoire littéraire du Québec et du Canada français*, n° 9, hiver-printemps 1985, p. 65-74.

MITCHELL, Constantina, «Henriette Dessaulles, *Journal*, édition critique par Jean-Louis Major», *Québec Studies*, vol. 11, automne-hiver 1990-1991, p. 141-142.

OUELLET, Lise, «Le *Journal* d'Henriette Dessaulles ou le roman d'une romance: du *je* spéculaire au *je* social», *Francofonia*, vol. 8, n° 14, printemps 1988, p. 53-61.

RAOUL, Valerie, «Moi (Henriette Dessaulles), ici (au Québec), maintenant (1874-1880): articulation du journal intime féminin», *French Review*, vol. 59, n° 6, mai 1986, p. 841-848.

TRÉPANIER, Pierre, «Henriette Dessaulles, *Journal*, édition critique par Jean-Louis Major», *Revue d'histoire d'Amérique française*, vol. 44, n° 1, été 1990, p. 107-108.

VERDUYN, Christl, «La religion dans le *Journal* d'Henriette Dessaulles», *Atlantis*, vol. 8, n° 2, printemps 1983, p. 45-50.

TABLE